# Les
# Omelettes

**Couverture**
- Conception graphique:
  Katherine Sapon
- Photo:
  Maryse Raymond
- Styliste:
  Louis Pépin

Collaboration au texte: Alain Morency

**Données de catalogage avant publication (Canada)**

Letellier, Julien

  Les omelettes

  ISBN  2-7619-0719-1

  1. Omelettes.  I. Titre.

TX745.L48 1987      641.6'75      C87-096461-5

DISTRIBUTEURS EXCLUSIFS:

- Pour le Canada:
  **AGENCE DE DISTRIBUTION POPULAIRE INC.\***
  955, rue Amherst, Montréal  H2L 3K4 (tél.: 514-523-1182)
  \* Filiale de Sogides Ltée

- Pour la France et l'Afrique:
  **INTER FORUM**
  13, rue de la Glacière, 75013 Paris (tél.: (1) 43-37-11-80)

- Pour la Belgique, le Portugal et les pays de l'Est:
  **S. A. VANDER**
  Avenue des Volontaires, 321, 1150 Bruxelles
  (tél.: (32-2) 762.98.04)

- Pour la Suisse:
  **TRANSAT S.A.**
  Route des Jeunes, 19, C.P. 125, 1211 Genève 26
  (tél.: (22) 42.77.40)

# Les Omelettes

JULIEN LETELLIER

LES ÉDITIONS DE L'HOMME

**Du même auteur:**

Menus pour recevoir
Les crêpes

*Bibliothèque nationale du Québec*
*Dépôt légal — 4ᵉ trimestre 1987*

ISBN 2-7619-0719-1

# Un mot de l'auteur

Qu'il ait précédé la poule ou que ce soit l'inverse, chose certaine l'oeuf est un mets de base incomparable qui nourrit les humains depuis toujours.

Ses vertus nutritives, son goût, sa texture, sa forme, n'ont pas besoin d'être vantés tellement ils sont connus.

Omelettes diverses et oeufs brouillés font partie de notre quotidien et sont inséparables de nos habitudes culinaires.

À la fois simple et facile à apprêter si l'on suit bien certains principes de base, l'oeuf, particulièrement en omelette, peut devenir un mets princier, un festin de tous les jours.

Le présent recueil vous propose pas moins de 150 exemples de combinaisons d'aliments pouvant entrer dans la confection de «nos omelettes». Simples ou raffinées, faites avec des garnitures traditionnelles ou avec ce que vous avez sous la main, les omelettes épateront vos convives et vous feront plaisir. Grâce à la variété des recettes qui vous sont proposées dans les pages suivantes, vous renouvellerez sans cesse vos menus.

Il va sans dire que vous pouvez vous permettre d'ajouter une touche personnelle dans la confection de vos omelettes. Le présent ouvrage vous suggère une foule d'idées. À vous maintenant de tenter votre chance!

Les oeufs sont faits; rien ne va plus.

# Conseils pratiques

- Un oeuf frais présente un jaune bien centré, entouré d'un blanc laiteux.
- N'oubliez pas que l'oeuf est un aliment très nutritif.
- On cuit normalement l'omelette à feu vif.
- L'omelette doit être de texture moelleuse à l'intérieur et ferme à l'extérieur.
- L'omelette nature est plus légère lorsqu'on bat les blancs en neige ferme avant de les incorporer aux jaunes.
- On devrait toujours faire cuire les omelettes dans une poêle antiadhésive.
- Pour toute cuisson au four, s'abstenir d'utiliser une poêle avec une queue de plastique.
- Pour être bien crémeux, les oeufs brouillés doivent être cuits longtemps, à feu doux.

# Technique de confection d'une omelette

**Étape 1**
- Réunir les ingrédients.
- Casser les oeufs.
- Ajouter le sel et le poivre.
- Ajouter un peu de beurre coupé en dés (facultatif).
- Ajouter les aromates (facultatif).

**Étape 2**
- Faire chauffer la poêle quelques secondes sur le feu vif.
- Ajouter un morceau de beurre; le faire fondre.
- Battre les oeufs à l'aide d'une fourchette.

**Étape 3**
- Pencher la poêle dans tous les sens pour que le beurre en recouvre le fond en entier.
- Quand le beurre fume légèrement, verser les oeufs battus dans la poêle.

**Étape 4**
- Agiter le mélange d'oeufs avec le dos d'une fourchette à deux ou trois reprises.

**Étape 5**
- Aussitôt que l'omelette commence à prendre, en soulever le bord avec la fourchette.

**Étape 6**
- Ramener un des bords de l'omelette sur le centre de celle-ci.
- Pencher la poêle et rouler l'omelette.

**Étape 7**
- Ramener doucement le bord opposé de l'omelette avec la fourchette.
- Souder les bords en les pressant délicatement ensemble avec le dos de la fourchette.
- Garder la poêle penchée quelques secondes sur le feu.

**Étape 8**
- Renverser l'omelette d'un coup sec sur l'assiette.
- Servir immédiatement.

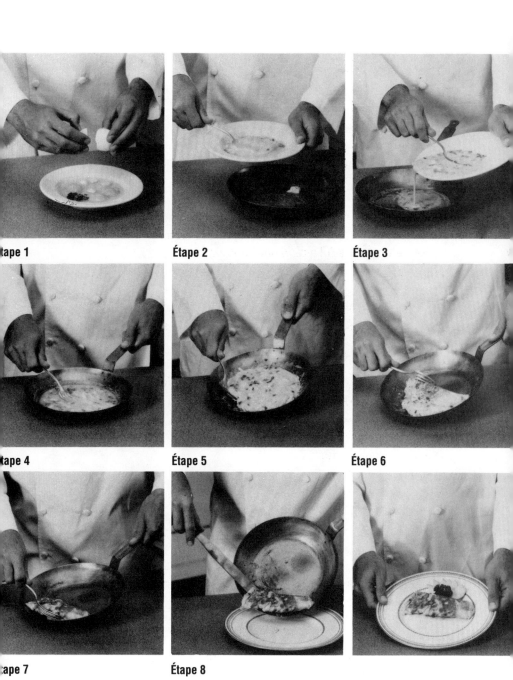

Étape 1

Étape 2

Étape 3

Étape 4

Étape 5

Étape 6

Étape 7

Étape 8

11

# Glossaire

## A

**Aiguillettes:** Chair tranchée en morceaux étroits et longs.

**Al dente:** Expression italienne utilisée pour qualifier les pâtes cuites à point, tendres, bien qu'encore fermes.

**Al forno:** Expression italienne qui signifie littéralement «au four».

**Appareil:** Mélange de divers ingrédients destinés à la confection d'un mets. Ce terme est utilisé plus fréquemment lorsqu'il s'agit d'une pâte.

## B

**Baie rose:** Sorte de poivre frais dont le noyau a une saveur légèrement piquante.

**Bain-marie:** Casserole déposée sur un autre récipient contenant de l'eau bouillante. Cette façon de faire cuire doucement une préparation élimine le risque de la faire brûler. Au four, on place le plat contenant le mets à cuire dans une grande plaque où se trouve l'eau. Dans tous les cas, il faut éviter que l'eau bouille trop fort.

**Barder:** Envelopper de tranches de lard.

**Batte:** Outil carré et plat, à long manche et assez lourd, qui sert à aplatir des tranches de viande.

**Beurre manié:** Mélange de farine et de beurre ramolli.

**Blanc (de volaille):** Tranche de chair blanche de volaille qu'on obtient après avoir désossé la poitrine.

**Blanchir:** Dans le cas des fruits et des légumes, plonger dans l'eau bouillante et faire cuire pendant quelques minutes seulement. Pour la viande, plonger dans l'eau froide, amener à ébullition puis rafraîchir.

**Bouquet garni:** Plantes aromatiques ficelées ensemble, puis ajoutées à une préparation pour en relever la saveur. On retire le bouquet garni à la fin de la cuisson.

**Braiser:** Faire cuire à couvert et à feu doux avec très peu de liquide.

**Brider:** Attacher une volaille de façon à maintenir ses ailes et ses cuisses près du corps.

**Brunoise:** Légumes coupés en très petits dés.

## C

**Canneler:** Décorer de sillons parallèles peu profonds. Une douille cannelée est un instrument qui sert à dresser une purée ou une pâte de façon qu'elle présente des cannelures. La douille s'adapte au bout d'un cône de toile dans lequel on met la purée et qu'on presse pour que celle-ci traverse la douille.

**Cervelas:** Saucisse large et courte, faite de chair à saucisse plus ou moins entrelardée, disponible à la charcuterie.

**Chantilly (crème):** Crème fouettée.

**Chemiser:** En cuisine: recouvrir l'intérieur d'un moule d'une couche de gelée. En pâtisserie: se dit aussi d'une couche de matière grasse (beurre) qui recouvre les parois d'un moule, d'un plat à gratin ou à soufflé.

**Chiffonnade:** Préparation de feuilles de laitue ou d'épinards, taillées en lanières (julienne).

**Chocolat à croquer:** Chocolat sucré que l'on peut consommer tel quel.

**Coagulation:** Passage d'un aliment fluide à l'état solide.

**Cordon:** Bordure décorative de sauce, de nouilles ou d'autres aliments aussi malléables.

**Coulis:** Purée liquide obtenue par la cuisson de légumes ou de fruits avec divers assaisonnements.

**D**

**Décortiquer:** Séparer la chair d'un crustacé de sa carapace; aussi, retirer son enveloppe à un fruit ou à une graine.

**Déglacer:** Ajouter un liquide, souvent alcoolisé, pour faire fondre les sucs collés au fond d'une poêle.

**Dégorger:** Rincer dans plusieurs eaux ou à l'eau courante certains abats pour les débarrasser du sang et des impuretés. Pour certains légumes, comme le concombre et l'aubergine, il s'agit de saupoudrer de sel pour éliminer le surplus d'eau.

**Dresser:** Disposer harmonieusement les mets sur des assiettes ou dans des plats.

**Duxelles:** Mélange de champignons, d'échalotes et d'oignons hachés, utilisé comme farce ou garniture, ou encore pour aromatiser une sauce.

**E**

**Ébarder:** Éliminer les filaments qui dépassent autour de la chair ou de la coquille d'un mollusque ou d'un oeuf poché, ou couper les nageoires d'un poisson.

**Émincer:** Couper en tranches minces.

**Escalope:** Tranche de viande qu'on aplatit pour l'amincir ou tranche très mince de viande, de poisson ou de légume.

**F**

**Foncer:** Garnir de pâte le fond et les parois d'un moule.

**Fond:** Bouillon aromatisé qui sert à la confection de sauces, de potages, etc. Un fond brun contient des ingrédients qu'on a fait brunir avant de les ajouter au bouillon (ou à l'eau). Pour un fond blanc, on plonge les ingrédients directement dans le bouillon (ou dans l'eau). Il existe des préparations en poudre qui permettent de réaliser facilement des fonds bruns ou blancs.

**Fontaine:** Creux au centre des ingrédients secs où l'on verse les ingrédients liquides pour former une pâte.

**Fourrer:** Synonyme de farcir.

## G

**Gélatine:** La gélatine en poudre est un produit déshydraté qui se vend en petites enveloppes. Une enveloppe contient 1 c. à soupe (1 c. à table) de poudre. Pour la reconstituer, on peut employer la méthode suivante:
- Dissoudre le contenu d'une enveloppe dans 60 ml (1/4 tasse) d'eau froide.
- Faire chauffer dans un bain-marie pour rendre homogène.
- Éviter de faire mousser.

**Glacer:** Rendre brillante la surface de certains mets, soit en les plaçant pendant quelques instants dans le haut du four à «broil» ou en les nappant d'une mince couche de sirop ou de beurre fondu.

**Gratiner:** Terminer une cuisson au four à très haute température de façon que le mets présente une croûte dorée.

**Grisons (Viande séchée des):** Spécialité du canton des Grisons, en Suisse. On peut se la procurer dans les épiceries fines et les charcuteries.

## J

**Julienne:** Légumes coupés en petits bâtonnets.

## L

**Lardons:** Petits morceaux de lard maigre qu'on fait revenir pour accompagner certains plats.

**Lier:** Ajouter un ingrédient ou une préparation à un liquide pour le faire épaissir. Dans le cas d'une salade, incorporer une vinaigrette ou une sauce de façon à donner au mets une apparence plus homogène.

## M

**Macérer:** Laisser tremper, le plus souvent des fruits, dans un liquide pour leur donner un arôme ou un goût particulier.

**Marguerite:** Récipient percé de trous en forme de marguerite que l'on utilise pour la cuisson des légumes à la vapeur.

**Mariner:** Laisser tremper un aliment dans un liquide vinaigré pour lui donner un goût particulier, l'attendrir ou le conserver plus longtemps.

**Médaillon:** Tranche de viande ronde de petit diamètre.

**Mollusques bivalves:** Se dit des coquillages composés de deux valves jointes par un muscle charnière, comme les moules et les huîtres.

**Monter:** Fouetter un ingrédient ou une préparation de façon qu'il devienne ferme et léger.

**Mouiller:** Ajouter un liquide à une préparation.

**N**

**Noisette (de beurre):** Parcelle de beurre froid de la grosseur d'une petite noix.

**O**

**Oignon nouveau ou oignon vert:** Oignon jeune à tige verte.

**Oignon perlé:** Petit oignon de semence.

**P**

**Parer:** Supprimer les parties qui nuisent à la présentation des aliments; l'excédent de graisse, par exemple.

**Parisienne (Cuillère):** Cuillère à petit cuilleron cannelé, rond ou ovale, servant à tailler des petites boules dans la chair de certains légumes et de certains fruits.

**Passer:** Faire traverser un instrument, un tamis par exemple, ou soumettre à l'action d'un appareil, comme un mélangeur.

**Pincer:** Faire brunir une viande ou un os au four avant de mouiller pour la réalisation d'un fond brun.

**Pocher:** Faire cuire dans une quantité plus ou moins grande de liquide.

**Pointe:** Quantité infime d'aromate qu'on mesure avec la pointe d'un couteau.

**R**

**Ravier:** Petit plat de forme allongée dans lequel on sert des hors-d'oeuvre.

**Relever:** Rehausser la saveur d'un mets en y ajoutant des aromates.

**Revenir (Faire):** Faire cuire dans un corps gras jusqu'à l'obtention d'une légère coloration.

**Roux:** Mélange de beurre et de farine cuit plus ou moins longtemps selon la coloration désirée: blanc, blond ou brun. Le roux blanc ne doit pas cuire trop longtemps, pour ne pas prendre de couleur, mais il doit quand même perdre son goût de farine.

## S

**Sabler:** Frotter une pâte entre les doigts et entre les paumes jusqu'à ce qu'elle prenne l'apparence de la chapelure.

**Saké:** Boisson japonaise alcoolisée obtenue par la fermentation du riz.

**Saisir:** Placer un aliment dans une matière grasse très chaude, pour que la surface dore très rapidement, emprisonnant ainsi les sucs à l'intérieur.

**Sauce demi-glace:** Sauce très corsée, disponible sous forme de préparation en poudre.

**Sauter:** Cuire dans une matière grasse à feu vif, en remuant constamment la poêle pour éviter que les aliments n'y adhèrent.

**Singer:** Saupoudrer de farine des ingrédients avant de les mouiller, dans le but d'obtenir une sauce.

**Suer:** Faire cuire à couvert et à feu doux, dans un peu de matière grasse.

**Suprême:** Blanc de volaille ou filet de poisson.

## T

**Timbale:** Petite croûte, moulée et garnie de diverses façons, servie en entrée chaude, en accompagnement du mets principal ou comme dessert, si la garniture s'y prête.

## Z

**Zeste:** Écorce extérieure des agrumes (orange, citron, etc.).

# Sauces et préparations de base

# Sauces et préparations de base

Coulis de fruits (framboises, fraises, etc.)
Coulis de tomates
Court-bouillon
Court-bouillon au vin blanc
Crème anglaise
Crème pâtissière
Fumet de poisson
Mousseline de pommes de terre
Pommes de terre sautées
Préparation de la cervelle de veau
Sauce aigre-douce
Sauce au chocolat
Sauce aux tomates en conserve
Sauce Béchamel (sauce blanche)
Sauce Bercy
Sauce brune (rapide)
Sauce forestière
Sauce hollandaise
Sauce hongroise
Sauce tomate épaisse et relevée
Sauce veloutée

# Coulis de fruits
# (framboises, fraises, etc.)

**500 g (1 lb) de framboises, de fraises ou d'autres petits fruits**
**125 g (1/2 tasse) de sucre**
**100 g (3 oz) ou plus d'eau**

## Méthode
- Mélanger les fruits et le sucre ensemble.
- Porter à ébullition.
- Ajouter graduellement l'eau.
- Passer au chinois ou à la passoire.

## Mes conseils
- On peut ajouter un filet de citron.
- Il est important de retenir qu'un coulis de fruits est exclusivement composé d'un mélange de jus de fruits et de sucre. Si l'on ajoute de l'alcool, du kirsch par exemple, on obtiendra une «sauce aux fruits».

# Coulis de tomates

600 g (1 lb 5 oz) de tomates fraîches ou étuvées
1 c. à soupe (1 c. à table) de pâte de tomates
30 g (1 oz) d'échalotes séchées hachées
2 gousses d'ail
Bouquet garni:
    1 feuille de laurier
    2 branches de thym
    2 branches de persil
Sel et poivre au goût
1 pincée de sucre
Beurre au goût
50 ml (1/4 tasse) d'huile d'olive ou d'huile végétale

## Méthode

- Hacher grossièrement les tomates.
- Faire chauffer une casserole avec un peu de beurre et d'huile.
- Faire blondir les échalotes dans la casserole.
- Ajouter ensuite les tomates hachées, la pâte de tomates, l'ail, le bouquet garni, le sucre, le sel et le poivre.
- Porter à ébullition.
- Cuire à demi couvert pendant 30 minutes environ à feu moyen.
- Retirer le bouquet garni et l'ail.
- Passer au hachoir ou au mélangeur.

## Mes conseils

- Si le coulis a une  consistance trop liquide, faire réduire sur le feu.
- Le coulis de tomates peut se servir chaud ou froid.
- Selon l'inspiration, on peut ajouter de la crème ou d'autres ingrédients au coulis de tomates pour l'adoucir ou le rendre plus fluide. On peut aussi y ajouter d'autres fines herbes pour en relever le goût.
- Servir avec des pâtes ou de la viande.

# Court-bouillon

0,5 litre (2 tasses) d'eau
250 ml (1 tasse) de vin blanc
ou
0,25 litre (1 tasse) de vinaigre blanc
2 à 3 carottes moyennes en rondelles
1 oignon piqué de 3 clous de girofle
Bouquet garni:
    1 feuille de laurier
    2 branches de thym
    2 branches de persil
    1 branche de céleri
    Ail au goût
2 gousses d'échalotes séchées épluchées (facultatif)
1/2 citron en quartiers
Sel fin ou gros sel et poivre au goût

**Méthode**
- Chauffer dans une casserole l'eau et le vin ou le vinaigre blanc.
- Ajouter les légumes et le citron.
- Assaisonner.
- Faire mijoter avec le bouquet garni sans couvrir pendant 20 minutes.

# Court-bouillon au vin blanc

0,5 litre (2 tasses) de vin blanc
0,5 litre (2 tasses) d'eau
2 branches de céleri tranchées finement
2 oignons moyens piqués de 2 ou 3 clous de girofle
Bouquet garni:
    1 feuille de laurier
    2 branches de thym
    2 branches de persil
1 gousse d'ail
1 gousse d'échalote séchée (facultatif)
1/2 citron
Sel et poivre au goût

## Méthode
- Verser le vin blanc et l'eau dans une casserole et ajouter tous les autres ingrédients, sauf le sel et le poivre.
- Amener à ébullition, puis faire mijoter sans bouillir durant 20 à 30 minutes, sans couvrir.
- Assaisonner.
- Passer dans une passoire fine.
- Laisser refroidir, puis réfrigérer.

## Mes conseils
- On utilise le court-bouillon dans la cuisson des crustacés (crevettes, homard, crabe) et des poissons.
- Il sert aussi d'élément de base pour la confection de sauces.

# Crème anglaise

0,5 litre (2 tasses) ou plus de lait
5 jaunes d'oeufs
225 g (un peu moins d'une tasse) de sucre
Vanille au goût

## Méthode
* Faire chauffer le lait avec la vanille.
* Fouetter le sucre avec les jaunes d'oeufs jusqu'à ce qu'ils deviennent mousseux.
* Ajouter peu à peu le lait chaud aux jaunes d'oeufs.
* Fouetter vigoureusement.
* Placer le mélange dans une casserole à feu moyen.
* Remuer sans cesse avec une spatule de bois.
* Cuire jusqu'à ce que la crème nappe une cuillère qu'on y trempe.
* Retirer rapidement du feu.
* Laisser refroidir.
* Servir.

# Crème pâtissière

370 ml (1 1/2 tasse) de lait
1 1/2 c. à soupe (1 1/2 c. à table) de fécule de maïs
1/4 c. à café (1/4 c. à thé) de sel
5 c. à soupe (5 c. à table) de sucre
2 jaunes d'oeufs
3 à 5 gouttes de vanille

## Méthode
- Chauffer le lait.
- Mélanger la fécule de maïs, le sel et le sucre.
- Ajouter les jaunes d'oeufs battus légèrement.
- Verser le lait chaud sur le mélange froid.
- Amener le tout à ébullition. (Utiliser un bain-marie ou cuire à feu lent.)
- Retirer du feu lorsque la crème est épaisse et lisse.
- Parfumer de vanille. Refroidir immédiatement sur une plaque ou un plateau.
- Couvrir d'une feuille de papier ciré et réserver.

## Mes conseils
- On doit toujours mélanger la crème pâtissière à l'aide du batteur avant de l'utiliser.
- On peut ajouter à la crème pâtissière une petite quantité de crème Chantilly.
- Il est possible de parfumer la crème pâtissière avec un alcool ou une liqueur de son choix: kirsch (alcool de cerises), curaçao (liqueur d'oranges), etc.

# Fumet de poisson

1 kg (2 lb 3 oz) ou moins de têtes, d'arêtes et de parures de poisson
1 oignon émincé
1 carotte en dés
1 poireau émincé
1 branche de céleri en dés
Bouquet garni:
    1 feuille de laurier
    2 branches de thym
    2 branches de persil
2 litres (8 tasses) d'eau
Sel au goût
0,5 litre (2 tasses) de vin blanc

**Méthode**
- Mettre le poisson, les légumes et les herbes dans une casserole.
- Ajouter l'eau.
- Saler.
- Ajouter le vin blanc.
- Faire mijoter pendant environ 1 heure.
- Passer à la passoire.
- Laisser refroidir et réserver.

# Mousseline de pommes de terre

1 kg (2 lb 3 oz) de pommes de terre
400 ml (1 2/3 tasse) de lait bouillant
2 à 3 noisettes de beurre frais
Sel au goût
1 à 2 pincées de muscade

## Méthode
- Plonger les pommes de terre dans de l'eau salée, froide. Amener à ébullition et faire cuire à feu vif.
- Une fois la cuisson terminée, bien égoutter les pommes de terre et les assécher pendant quelques instants au four, sur une plaque, à 120 °C (250 °F).
- Réduire les pommes de terre en purée à l'aide du mélangeur.
- Assaisonner.
- Ajouter peu à peu le lait bouillant avec le beurre et la muscade en faisant mousser à l'aide du batteur.
- Le mélange doit être très homogène.
- Servir.

## Mes conseils
- On peut utiliser une poche avec douille cannelée, pour la présentation de la mousseline.
- Si on réserve la mousseline au chaud une heure environ avant de servir, couvrir d'un papier légèrement beurré pour éviter que ne se forme une croûte.

# Pommes de terre sautées

**4 à 6 pommes de terre**
**1 c. à soupe (1 c. à table) de beurre**
**3 c. à soupe (3 c. à table) d'huile**
**3 branches de persil hachées**
**Sel et poivre au goût**

## Méthode

- Utiliser des pommes de terre cuites de la veille.
- Trancher les pommes de terre (pelées ou non).
- Chauffer dans une poêle à frire le beurre et l'huile.
- Y faire sauter les pommes de terre.
- Assaisonner. Ajouter le persil.
- Servir.

## Mes conseils

- On peut ajouter, au moment de la cuisson, de l'oignon haché ou de la ciboulette.
- La sariette parfume agréablement la pomme de terre.

# Préparation de la cervelle de veau

- Nettoyer les cervelles.
  - Faire tremper les cervelles dans l'eau froide pendant environ 30 minutes.
  - Retirer la membrane qui les enveloppe.
- Pocher dans un court-bouillon pendant 20 minutes environ.
- Découper les cervelles.
  - Au moment de les utiliser, couper les cervelles dans le sens de la largeur.

---

# Sauce aigre-douce

2 c. à soupe (2 c. à table) d'huile végétale
120 ml (1/2 tasse) de carottes râpées
250 ml (1 tasse) de jus de citron
1 c. à soupe (1 c. à table) de miel
1 c. à soupe (1 c. à table) de vin blanc ou de vinaigre
1 c. à soupe (1 c. à table) de sauce soya
1/4 c. à café (1/4 c. à thé) de sel
1 1/2 c. à café (1 1/2 c. à thé) de fécule de maïs
120 ml (1/2 tasse) environ d'eau froide

## Méthode

- Faire revenir les carottes dans l'huile pendant 5 minutes environ.
- Mélanger le jus de citron avec le miel et la sauce soya.
- Verser sur les carottes.
- Ajouter le vinaigre ou le vin. Saler.
- Faire mijoter de 8 à 10 minutes en remuant fréquemment.
- Délayer la fécule de maïs dans l'eau froide.
- Incorporer à la sauce.
- Remuer la sauce jusqu'à ce qu'elle soit lisse et onctueuse.

*Rendement: 250 ml (1 tasse) environ.*

# Sauce au chocolat

**60 g (2oz) de chocolat foncé**
**60 g (2 oz) de sucre en poudre**
**150 ml (2/3 tasse) d'eau**

## Méthode

- Faire cuire le chocolat à feu doux avec le sucre et l'eau pendant quelques minutes, sans cesser de remuer.
- Réserver.

## Mes conseils

- Il est préférable de faire cette sauce au bain-marie.

# Sauce aux tomates en conserve

2 c. à soupe (2 c. à table) d'huile d'olive ou d'huile végétale
1 gousse d'ail coupée en deux
1 boîte (400 g (14 oz) environ) de tomates en conserve
1 c. à soupe (1 c. à table) de pâte de tomates
1 c. à café (1 c. à thé) de sucre
Sel et poivre au goût

## Méthode

• Faire chauffer à feu doux l'huile et l'ail pendant 5 minutes.
• Retirer l'ail.
• Ajouter les tomates et leur jus, la pâte de tomates, le sucre, le sel et le poivre.
• Couvrir. Laisser mijoter pendant 40 minutes ou plus.
• Passer au mélangeur.
• Servir.

## Mes conseils

• Cette sauce n'a pas besoin d'être passée au tamis.
• On peut parfumer la sauce avec un peu de vin blanc durant la cuisson.

# Sauce Béchamel (sauce blanche)

4 à 6 c. à soupe (4 à 6 c. à table) de beurre ou de margarine
4 à 6 c. à soupe (4 à 6 c. à table) de farine tamisée
1 à 1,25 litre (4 à 5 tasses) de lait chaud
1 oignon piqué de 2 à 3 clous de girofle
Sel et poivre blanc au goût
1 pincée de muscade

## Méthode
- Faire un roux blanc avec le beurre et la farine.
- À feu doux, ajouter le lait par petites quantités.
- Amener jusqu'à une consistance crémeuse en remuant à l'aide d'une cuillère de bois.
- Ajouter l'oignon piqué et cuire pendant 20 minutes à feu doux. Retirer l'oignon.
- Assaisonner de sel, de poivre et de muscade.
- Passer la sauce dans une passoire fine.

## Mes conseils
- Recouvrir la béchamel d'un papier ciré beurré pour éviter la formation d'une peau.
- On peut réutiliser l'oignon dans d'autres préparations culinaires.
- Pour obtenir une sauce Mornay, on ajoutera à la béchamel du gruyère râpé et une pointe de cayenne.

# Sauce Bercy

2 échalotes hachées
250 ml (1 tasse) de vin blanc sec
1 à 2 c. à soupe (1 à 2 c. à table) de beurre
Poivre au goût
2 à 3 c. à café (2 à 3 c. à thé) de persil haché
500 à 750 ml (2 à 3 tasses) de sauce brune (recette p. 36)

**Méthode**
- Faire suer les échalotes dans le beurre pendant 2 à 3 minutes environ.
- Ajouter le persil et assaisonner.
- Mouiller au vin blanc.
- Faire réduire quelque peu.
- Verser la sauce brune sur la première préparation.
- Faire mijoter pendant quelques instants.
- Réserver.

**Mes conseils**
- Utiliser cette sauce avec les viandes grillées ou parfois les omelettes.

# Sauce brune (rapide)

3 à 4 c. à soupe (3 à 4 c. à table) de beurre ou de margarine
1 carotte grossièrement coupée
1 branche de céleri grossièrement coupée
1 oignon moyen émincé
0,75 à 1 litre (3 à 4 tasses) de consommé de boeuf ou de bouillon de
   boeuf
2 à 4 c. à soupe (2 à 4 c. à table) de pâte de tomates
4 à 6 c. à soupe (4 à 6 c. à table) de farine
1 feuille de laurier
1 pincée de thym
2 branches de persil
Sel et poivre au goût

## Méthode
- Faire suer les légumes dans la margarine ou le beurre fondu.
- Ajouter la pâte de tomates, puis singer.
- Verser peu à peu le consommé ou le bouillon de boeuf sur la préparation aux légumes.
- Assaisonner, ajouter la feuille de laurier, le persil et le thym.
- Faire mijoter et laisser réduire à feu moyen pendant 30 minutes.
- Couler la sauce à travers un tamis fin.

## Mes conseils
- Si la sauce n'est pas assez consistante, faire un roux blond pour lier la sauce chaude déjà coulée.
- Cette sauce de base peut accompagner le boeuf, le porc et la volaille. Il suffit d'y ajouter la garniture de son choix. Par exemple:
  - Ajouter du madère à la sauce brune pour obtenir une sauce madère.
  ou

- Faire suer de l'échalote séchée avec un peu de moutarde de Dijon.
- Déglacer avec un peu de brandy.
- Ajouter la sauce brune.
- Crémer avec de la crème double (à 35 p. 100).
- On peut remplacer les os de boeuf de la sauce brune de base par des carcasses de volaille.

---

# Sauce forestière

1 à 2 c. à café (1 à 2 c. à thé) de beurre
6 à 12 champignons frais hachés ou tranchés
2 à 3 queues de ciboulette ou d'oignons nouveaux hachés
Moins de 60 ml (1/4 tasse) de fond blanc de volaille ou de bouillon de
   poulet
300 ml (1 1/4 tasse) de sauce veloutée (recette p. 42)
Ail haché finement, au goût
1 quartier de citron
Sel, poivre et paprika au goût

### Méthode
• Chauffer une poêle, y mettre le beurre avec la ciboulette ou
  les oignons nouveaux.
• Ajouter les champignons, les faire sauter et presser un quar-
  tier de citron au-dessus.
• Déglacer avec le fond blanc ou le bouillon.
• Ajouter la sauce veloutée et l'ail.
• Assaisonner de sel, de poivre et de paprika.
• Cuire à feu doux pendant 8 à 10 minutes.
• Réserver en couvrant d'un papier beurré.

### Mes conseils
• Lorsque l'on fait sauter les champignons, il faut éviter de les
  faire brunir.
• Cette sauce est excellente avec le poisson, la volaille, le
  veau et le porc.

# Sauce hollandaise

**3 jaunes d'oeufs**
**1 à 3 c. à soupe (1 à 3 c. à table) d'eau froide**
**2 à 4 c. à soupe (2 à 4 c. à table) de beurre fondu**
**Poivre blanc, poivre de Cayenne et sel au goût**
**1 c. à café (1 c. à thé) de jus de citron**

## Méthode
- Faire chauffer un peu d'eau dans un bain-marie jusqu'à ce qu'elle frémisse.
- Placer une casserole dans le bain-marie.
- Y mettre les jaunes d'oeufs et l'eau froide.
- Battre avec un fouet jusqu'à l'obtention d'une texture lisse.
- Ajouter le beurre fondu.
- Battre encore en incorporant un peu d'eau, selon la texture désirée.
- Fouetter jusqu'à ce que la sauce soit onctueuse.
- Assaisonner.
- Ajouter le jus de citron.
- Servir.

# Sauce hongroise

1/2 oignon moyen haché
1 c. à soupe (1 c. à table) de beurre
120 ml (1/2 tasse) de vin blanc sec
750 ml (3 tasses) environ de sauce veloutée (recette p. 42)
1/2 c. à café (1/2 c. à thé) de paprika
Sel et poivre au goût

## Méthode

- Faire revenir l'oignon dans le beurre.
- Mouiller au vin blanc.
- Faire réduire pendant 2 à 3 minutes.
- Verser la sauce veloutée sur la préparation.
- Assaisonner.
- Poudrer de paprika.
- Laisser mijoter un peu.
- Réserver.

## Mes conseils

- On peut ajouter une pointe d'ail et un peu de persil haché.
- On peut ajouter de la crème double (à 35 p. 100) avant de servir.

# Sauce tomate épaisse et relevée

1 c. à soupe (1 c. à table) d'huile
150 g (5 oz) de mirepoix
30 g (1 oz) de lard maigre ou de bacon en dés
250 ml (1 tasse) de pâte de tomates
30 g (2 c. à table) ou moins de farine
1,5 litre (6 tasses) de fond blanc ou de bouillon de poulet
Épices: thym, muscade, basilic et origan au goût
Sel, poivre et sucre au goût
Un peu de beurre (facultatif)

## Méthode
* Chauffer l'huile avec un peu de beurre, si désiré.
* Ajouter le lard et la mirepoix.
* Laisser colorer, puis ajouter la pâte de tomates.
* Pincer puis singer la préparation. Bien mélanger.
* Mouiller avec le fond blanc ou le bouillon.
* Remuer. Cuire lentement pendant 1 à 1 1/2 heure.
* Laisser réduire.
* Assaisonner. Ajouter le sucre d'après le goût de la sauce.
* Passer la sauce.

## Mes conseils
* On peut ajouter de l'ail et des tomates entières pelées.
* La mirepoix, c'est une coupe grossière de légumes spécifiques tels: carottes, céleri, poireaux ou oignons.

# Sauce veloutée

**Roux blond:**
    4 à 6 c. à soupe (4 à 6 c. à table) de beurre ou de margarine
    4 à 6 c. à soupe (4 à 6 c. à table) de farine
1 litre (4 tasses) de bouillon ou de fond blanc de volaille
2 à 3 c. à soupe (2 à 3 c. à table) de crème double (à 35 p. 100)
    (facultatif)
Sel, poivre et muscade au goût

**Méthode**
- Faire un roux blond.
- Chauffer le bouillon ou le fond blanc.
- Mouiller peu à peu le roux avec le bouillon.
- Assaisonner.
- Cuire pendant 15 à 20 minutes à feu doux.
- Crémer au goût.
- Réserver en couvrant d'un papier ciré beurré.

**Mes conseils**
- Cette sauce accompagne délicieusement le poulet.
- On peut lui ajouter des garnitures: poulet cuit en dés, champignons sautés, épices au goût (cari, estragon, etc.)
- Excellente sauce à timbale ou vol-au-vent au poulet.
- On peut y ajouter du gruyère ou du cheddar blanc râpé.

# Au petit déjeuner
# (omelettes de base)

# Au petit déjeuner
## (omelettes de base)

Omelette à l'indienne
Omelette au lard
Omelette de Célestin à bon prix
Omelette de la cabane
Omelette mousseline
Omelette nature
Omelette québécoise
Omelette soufflée

# Omelette à l'indienne

**8 oeufs**
**1/2 gousse d'ail hachée (facultatif)**
**1/4 c. à café (1/4 c. à thé) de cari**
**2 à 4 c. à café (2 à 4 c. à thé) de noix de coco râpée non sucrée**
**2 à 3 c. à soupe (2 à 3 c. à table) de semoule de blé ou de germe de blé**
**2 à 3 c. à soupe (2 à 3 c. à table) de lait ou d'eau**
**1 à 3 c. à soupe (1 à 3 c. à table) de beurre**
**ou**
**2 c. à soupe (2 c. à table) d'huile**
**Sel et poivre au goût**

**Méthode**
- Battre les oeufs avec le lait ou l'eau.
- Incorporer la semoule ou le germe de blé, la noix de coco et l'ail, si désiré.
- Poudrer légèrement de cari.
- Assaisonner au goût.
- Cuire le mélange dans une poêle beurrée ou huilée.
- Remuer quelque peu à l'aide d'une fourchette.
- Laisser cuire jusqu'à ce que les oeufs prennent (coagulation).
- Servir immédiatement.

**Mes conseils**
- On peut garnir l'omelette de rondelles de banane et de petits raisins secs.

*Rendement: 4 portions.*

# Omelette au lard

4 oeufs
60 g (2 oz) de lard de poitrine bien maigre
3 à 4 branches de persil frais hachées
1 à 2 c. à soupe (1 à 2 c. à table) de beurre
Sel et poivre au goût

## Méthode
- Retirer la couenne du lard.
- Tailler en lardons.
- Blanchir, égoutter et éponger.
- Faire revenir à la poêle avec le beurre pendant 2 à 3 minutes environ.
- Verser les oeufs battus sur les lardons.
- Assaisonner.
- Remuer à l'aide d'une fourchette.
- Laisser cuire jusqu'à ce que les oeufs prennent (coagulation).
- Glisser une partie de l'omelette sur un plat et replier.
- Servir.

## Mes conseils
- C'est l'omelette du brunch par excellence.
- Accompagnée d'une salade verte pour un repas léger, c'est idéal!

*Rendement: 2 portions.*

# Omelette de Célestin à bon prix

**4 oeufs**
**370 ml (1 1/2 tasse) de lait**
**1 c. à soupe (1 c. à table) de beurre**
**Sel et poivre au goût**

## Méthode
- Préchauffer le four à 135 °C (270 °F) environ.
- Battre les oeufs et incorporer le lait.
- Assaisonner.
- Faire fondre le beurre dans une poêle.
- Y verser la première préparation.
- Cuire au four à chaleur douce.
- Retirer l'omelette avant qu'elle ait une consistance trop ferme.
- Servir.

## Mes conseils
- S'il restait de l'omelette, on pourrait la hacher finement et l'ajouter comme garniture dans un potage ou dans un bouillon clair.

*Rendement: 2 portions.*

# Omelette de la cabane

**8 oeufs**
**2 à 3 c. à soupe (2 à 3 c. à table) de lait**
**1 à 2 c. à soupe (1 à 2 c. à table) de sirop d'érable**
**1 c. à café (1 c. à thé) de poudre à pâte**
**2 à 3 c. à café (2 à 3 c. à thé) de farine**
**2 à 3 c. à soupe (2 à 3 c. à table) de beurre**
**Sel et poivre au goût**

**Méthode**
- Préchauffer le four à 140 °C (275 °F).
- Séparer les blancs des jaunes d'oeufs.
- Mélanger les jaunes avec la poudre à pâte, la farine, le lait et le sirop. Assaisonner.
- Monter les blancs en neige.
- Les incorporer délicatement aux jaunes.
- Verser dans un moule beurré ou dans une poêle chauffée avec le beurre au préalable.
- Cuire au four pendant 15 à 20 minutes.
- Servir.

**Mes conseils**
- Faire réduire du sirop d'érable dans une poêle et ajouter des morceaux de beurre tout en fouettant.
- Verser les portions d'omelette.
- Accompagner d'une belle tranche de jambon.

*Rendement: 4 portions.*

# Omelette mousseline

**4 oeufs**
**3 à 4 c. à soupe (3 à 4 c. à table) de crème double (à 35 p. 100)**
**Sel et poivre au goût**
**1 à 2 c. à soupe (1 à 2 c. à table) de beurre**

**Méthode**
- Séparer les blancs des jaunes d'oeufs.
- Assaisonner les jaunes en les mélangeant avec la crème.
- Battre les blancs en neige.
- Les incorporer délicatement aux jaunes.
- Cuire comme une omelette nature à la poêle, dans le beurre (voir recette p. 50).
- Servir immédiatement.

**Mes conseils**
- Il est préférable de ne préparer qu'une portion à la fois.
- On peut ajouter du persil frais.
- Excellente recette pour le brunch.

*Rendement: 2 portions.*

# Omelette nature

**4 oeufs**
**1 à 2 c. à soupe (1 à 2 c. à table) de beurre**
**Sel et poivre au goût**
**1 à 2 c. à soupe (1 à 2 c. à table) de crème double (à 35 p. 100)**
**(facultatif)**

**Méthode**
- Assaisonner les oeufs. Ajouter la crème, si désiré.
- Battre à l'aide d'une fourchette.
- Chauffer le beurre dans une poêle.
- Y verser les oeufs.
- Remuer avec la fourchette jusqu'à ce que les oeufs prennent (coagulation).
- Soulever la queue de la poêle et donner à l'omelette une forme ovale en la faisant descendre vers l'avant de la poêle.
- Retourner sur une assiette chaude.

**Mes conseils**
- On peut ajouter un peu de poudre à pâte, ce qui fera gonfler davantage l'omelette.
- On peut placer l'omelette au four à mi-cuisson.

*Rendement: 2 portions.*

# Omelette québécoise

**6 oeufs**
**1 c. à soupe (1 c. à table) de beurre**
**1 c. à soupe (1 c. à table) d'eau ou de lait**
**Sel et poivre au goût**

**Méthode**
* Battre les oeufs avec l'eau ou le lait sans rendre l'appareil mousseux.
* Assaisonner.
* Chauffer la poêle et faire fondre le beurre.
* Y verser les oeufs.
* Aussitôt qu'ils commencent à devenir fermes, soulever et remuer avec la fourchette.
* Une fois l'omelette à point, en glisser la moitié dans l'assiette et replier.
* Servir chaud.

**Mes conseils**
* On devrait cuire cette omelette jusqu'à ce qu'elle soit dorée, légère et crémeuse.
* Persistez: avec de la pratique, vous réussirez de mieux en mieux vos omelettes.

*Rendement: 3 portions.*

# Omelette soufflée

**4 oeufs**
**Sel et poivre au goût**
**1 à 3 c. à soupe (1 à 3 c. à table) de beurre**
**2 à 3 c. à soupe (2 à 3 c. à table) de crème double (à 35 p. 100) ou**
**20 g (1 c. à table comble) de noisettes de beurre**

## Méthode
* Séparer les blancs des jaunes d'oeufs.
* Mettre les jaunes dans un bol.
* Ajouter la crème ou quelques noisettes de beurre.
* Mélanger à l'aide d'une fourchette.
* Fouetter à part les blancs en ajoutant une pincée de sel.
* Utiliser un fouet et battre les blancs régulièrement en formant un huit, jusqu'à ce qu'ils soient fermes.
* Incorporer délicatement les jaunes avec la spatule, de façon à obtenir un mélange homogène.
* Faire fondre un peu de beurre dans une poêle.
* Y verser le mélange à l'aide d'une spatule.
* Plier l'omelette vers la fin de la cuisson. (Le temps de cuisson est assez rapide: 3 à 5 minutes environ.)
* Soulever la queue de la poêle et donner à l'omelette une forme ovale en la faisant descendre vers l'avant de la poêle.
* Servir immédiatement.

## Mes conseils
* Pour être certain que les blancs sont suffisamment fermes, assurez-vous qu'ils collent au fouet.
* Incorporer les blancs en neige aux jaunes immédiatement pour qu'ils conservent leur légèreté.
* Cette omelette ne supporte pas de garniture lourde.

*Rendement: 2 portions.*

# Légumes, fines herbes et fromages

# Légumes, fines herbes et fromages

Omelette Adriatica
Omelette à la courgette et aux tomates
Omelette à la crème et à la ciboulette
Omelette à la dijonnaise
Omelette à la duxelles
Omelette à la française
Omelette à la fricassée de pommes de terre
Omelette à la mode de Nice
Omelette à la noix de coco
Omelette à la paysanne
Omelette à l'effilochée de poireaux
Omelette à l'émincé de céleri
Omelette à l'indonésienne
Omelette à l'oseille n° 1
Omelette à l'oseille n° 2
Omelette Argenteuil
Omelette au caviar d'aubergine
Omelette au coulis de tomates
Omelette au four
Omelette au fromage
Omelette au germe de blé
Omelette au poivron doux
Omelette au ricotta
Omelette aux champignons sauvages
Omelette aux concombres
Omelette aux feuilles de céleri

Omelette aux fines herbes
Omelette aux haricots verts
Omelette aux légumes fins
Omelette aux pâtes
Omelette aux petits légumes n° 1
Omelette aux petits légumes n° 2
Omelette aux tomates à ma façon
Omelette boulangère
Omelette bretonne
Omelette Caruso
Omelette Catherina
Omelette chinoise
Omelette Crécy
Omelette crémeuse
Omelette de Célestin
Omelette des Alpes
Omelette Du Barry
Omelette du Carême
Omelette du Japon
Omelette du rang
Omelette du vrai Suisse
Omelette flambée du tsar
Omelette florentine
Omelette forestière
Omelette gourmande
Omelette Henri
Omelette Laurence
Omelette lyonnaise
Omelette marinara
Omelette mexicaine

Omelette minceur
Omelette multicolore
Omelette nordique
Omelette Patiala
Omelette piquante
Omelette provençale

Omelette San Francisco
Omelette sicilienne
Omelette suisse
Omelette verdure
Pain d'omelettes superposées

# Omelette Adriatica

6 à 8 oeufs
1/2 aubergine
1 oignon moyen émincé
6 coeurs d'artichaut
1/2 poivron haché
2 à 3 c. à café (2 à 3 c. à thé) de pâte de tomates
2 à 3 c. à soupe (2 à 3 c. à table) de beurre
1 à 2 c. à soupe (1 à 2 c. à table) d'huile
2 à 3 pincées de basilic
1 gousse d'ail hachée
1 à 2 c. à soupe (1 à 2 c. à table ) de jus de citron
Sel et poivre au goût

**Méthode**
- Éplucher et couper l'aubergine en rondelles d'environ 1 cm (3/8 po) d'épaisseur.
- Faire dégorger pendant 1 heure dans une passoire.
- Égoutter et éponger.
- Faire chauffer la moitié du beurre et de l'huile dans une poêle.
- Y faire cuire les légumes.
- Ajouter l'ail et le basilic.
- Verser le jus de citron, ajouter la pâte de tomates et cuire à couvert et à feu doux pendant 10 à 20 minutes. Laisser refroidir.
- Battre les oeufs avec le sel et le poivre.
- Incorporer le mélange de légumes froid.
- Faire chauffer le reste du beurre et de l'huile.
- Y verser l'appareil.
- Laisser cuire jusqu'à ce que l'omelette soit prise.
- Renverser sur un plat de service.

**Mes conseils**
* On peut accompagner l'omelette de coulis de tomates (recette p. 22).
* On peut aussi la servir froide.
* Il faut la laisser reposer avant de la couper.

*Rendement: 4 portions*

---

# Omelette à la courgette et aux tomates

4 oeufs
2 c. à soupe (2 c. à table) d'oignon haché
1 courgette moyenne coupée en dés
1 tomate fraîche en tranches
3 à 5 branches de persil frais hachées
2 à 4 c. à soupe (2 à 4 c. à table) d'huile
3 c. à soupe (3 c. à table) de lait
1 pincée de basilic
Sel et poivre au goût
2 à 3 c. à soupe (2 à 3 c. à table) de fromage parmesan râpé (ou
    autre)

## Méthode
• Battre les oeufs avec le lait, le basilic, le sel et le poivre; réserver.
• Faire chauffer l'huile à feu moyen dans une poêle pouvant aller au four.
• Faire sauter l'oignon et les courgettes pendant 2 minutes environ.
• Ajouter la tomate.
• Verser le mélange d'oeufs.
• Faire cuire jusqu'à ce que le mélange soit pris, mais encore humide.
• Garnir de fromage.
• Placer au four pendant 1 minute à «broil».
• Servir.

## Mes conseils
• Diviser l'omelette en pointes.
• Cette recette est calculée pour donner 4 portions de 285 calories chacune.

*Rendement: 4 portions.*

# Omelette à la crème et à la ciboulette

**8 oeufs**
**2 à 3 c. à café (2 à 3 c. à thé) de ciboulette**
**2 à 3 c. à soupe (2 à 3 c. à table) de crème double (à 35 p.100)**
**2 à 3 c. à soupe (2 à 3 c. à table) de beurre**
**Sel et poivre au goût**

## Méthode

- Battre les oeufs avec la ciboulette. Assaisonner.
- Fouetter la crème.
- Incorporer la crème fouettée aux oeufs.
- Faire chauffer le beurre dans la poêle.
- Y verser le mélange et remuer pendant quelques instants.
- Cuire jusqu'à l'obtention d'une consistance légèrement ferme.
- Servir immédiatement.

## Mes conseils

- Faire attention de ne pas transformer la crème en beurre en la fouettant trop longtemps.

*Rendement: 4 portions.*

# Omelette à la dijonnaise

**8 oeufs**
**3 à 6 c. à soupe (3 à 6 c. à table) de crème double (à 35 p. 100)**
**1 à 2 c. à soupe (1 à 2 c. à table) de moutarde sèche**
**3 à 6 branches de persil frais hachées**
**2 à 3 c. à soupe (2 à 3 c. à table) de beurre**
**Sel et poivre au goût**

**Méthode**
- Mélanger ensemble la moutarde sèche, le persil et la crème.
- Battre et faire mousser les oeufs.
- Incorporer l'appareil à la crème aux oeufs.
- Cuire à la poêle dans le beurre en remuant à l'aide d'une fourchette au début de la cuisson.
- Continuer la cuisson jusqu'à l'obtention d'une consistance ferme.
- Servir.

**Mes conseils**
- On peut ajouter des cornichons hachés au mélange, ce qui donnera à l'omelette un petit goût aigre-doux.

*Rendement: 4 portions.*

# Omelette à la duxelles

8 oeufs
1 à 2 échalotes sèches hachées
Environ 20 champignons frais hachés finement
4 à 6 branches de persil frais hachées
2 à 3 c. à soupe (2 à 3 c. à table) de beurre
Sel et poivre au goût

## Méthode
- Dans une poêle avec du beurre, faire suer les légumes jusqu'à l'évaporation de l'eau rendue par les champignons.
- Assaisonner et réserver cette duxelles.
- Battre les oeufs avec le persil.
- Faire cuire l'omelette dans la poêle comme une omelette nature (recette p. 50).
- Placer la duxelles en long au centre de l'omelette.
- Plier l'omelette et terminer la cuisson.
- Servir immédiatement.

## Mes conseils
- On pourrait, juste avant la fin de la cuisson, couvrir légèrement l'omelette de crème de champignons, ajouter du fromage râpé et gratiner.

*Rendement: 4 portions.*

# Omelette à la française

4 oeufs
120 ml (1/2 tasse) de laitue ciselée
120 ml (1/2 tasse) de pois en conserve (avec un peu de liquide)
2 tranches de bacon en dés
2 à 3 c. à soupe (2 à 3 c. à table) de crème double (à 35 p. 100)
1 c. à soupe (1 c. à table) de beurre (facultatif)
1 pincée de muscade
Sel et poivre au goût

## Méthode

- Mélanger ensemble les oeufs, la crème et la muscade.
- Assaisonner.
- Chauffer une poêle et y faire revenir le bacon à feu vif pendant 1 minute environ.
- Diminuer l'intensité du feu.
- Ajouter les pois et la laitue.
- Mouiller avec un peu du liquide des pois.
- Faire réduire presque à sec.
- Ajouter un peu de beurre, si désiré.
- Verser les oeufs battus sur les légumes et cuire jusqu'à ce que les oeufs prennent (coagulation) (2 à 4 minutes environ).
- Servir avec un cordon de sauce veloutée (recette p. 42).

## Mes conseils

- Des lanières de jambon ajoutées à la préparation seraient sûrement appréciées.
- Excellente recette pour utiliser une laitue un peu défraîchie.

*Rendement: 2 portions.*

---

# Omelette à la fricassée de pommes de terre

8 oeufs
2 oignons verts hachés
2 à 3 c. à soupe (2 à 3 c. à table) de simili bacon émietté
1 à 2 pommes de terre moyennes en tranches minces
3 à 4 c. à soupe (3 à 4 c. à table) de crème double (à 35 p. 100)
2 à 3 c. à soupe (2 à 3 c. à table) de beurre
1 c. à soupe (1 c. à table) ou moins d'huile
1 à 2 pincées d'origan
1 pincée de muscade
Sel et poivre au goût

## Méthode

- Battre les oeufs avec la crème. Assaisonner et réserver.
- Faire revenir les oignons, les pommes de terre et le simili bacon dans le beurre avec un peu d'huile à feu vif pendant 2 à 3 minutes environ.
- Ajouter l'origan et la muscade.
- Verser le mélange d'oeufs sur l'autre préparation.
- Brasser avec une fourchette pendant quelques secondes.
- Cuire jusqu'à l'obtention d'une consistance ferme.
- Servir.

## Mes conseils

- A la place du simili bacon, on pourrait utiliser du bacon. À ce moment-là, la cuisson ne requerra pas de beurre ni d'huile: le gras du bacon suffira.

*Rendement: 4 portions.*

# Omelette à la mode de Nice

**4 oeufs**
**6 à 10 haricots verts coupés en dés**
**1/2 oignon haché**
**6 à 8 olives noires hachées**
**1/2 gousse d'ail hachée**
**2 à 3 branches de persil frais hachées**
**1 pincée de thym**
**2 à 4 c. à café (2 à 4 c. à thé) de vinaigre de vin**
**1 à 3 c. à soupe (1 à 3 c. à table) de beurre**
**Sel et poivre au goût**

**Méthode**
- Cuire les haricots à la marguerite. Refroidir.
- Mélanger les oeufs avec le persil. Assaisonner et réserver.
- Faire revenir les oignons et l'ail dans le beurre pendant 1 à 2 minutes à feu moyen.
- Ajouter les haricots coupés avec les olives.
- Parfumer au vinaigre de vin.
- Verser le mélange aux oeufs sur la préparation.
- Remuer légèrement.
- Cuire jusqu'à ce que l'omelette soit ferme.
- Servir.

**Mes conseils**
- On peut servir cette omelette pliée ou plate.
- On pourrait y ajouter des câpres.

*Rendement: 2 portions.*

# Omelette à la noix de coco

**6 à 8 oeufs**
**1 à 2 c. à soupe (1 à 2 c. à table) d'échalote sèche hachée**
**1 gousse d'ail hachée**
**2 à 3 c. à soupe (2 à 3 c. à table) de noix de coco râpée**
**1/2 c. à café (1/2 c. à thé) de petit piment fort frais, haché, ou de cayenne**
**Sel au goût**
**1 c. à soupe (1 c. à table) d'eau froide**
**2 c. à soupe (2 c. à table) d'huile végétale ou de beurre**

## Méthode
- Mélanger la noix de coco avec l'échalote, l'ail et le piment liés avec un peu d'eau salée.
- Battre les oeufs pour qu'ils deviennent bien mousseux. Incorporer la garniture.
- Faire chauffer l'huile dans une poêle. Y verser l'appareil aux oeufs.
- Cuire chaque côté de l'omelette pendant 2 à 3 minutes.
- Servir chaud ou froid.

## Mes conseils
- Cette omelette peut être cuite au wok.
- Elle est savoureuse et nourrissante.
- On la mange soit comme plat de résistance, accompagnée de riz et de légumes au choix ou encore comme repas léger avec une salade.

*Rendement: 4 portions.*

# Omelette à la paysanne

4 oeufs
2 à 3 tranches de bacon en dés
1/2 oignon moyen haché
1/2 à 1 pomme de terre moyenne en dés
2 à 3 branches de persil frais hachées
1 pincée de thym
2 à 3 c. à café (2 à 3 c. à thé) de beurre
Sel et poivre au goût

## Méthode

- Faire revenir le bacon, l'oignon et la pomme de terre dans une poêle bien chaude pendant 1 à 2 minutes.
- Battre les oeufs à l'aide d'une fourchette.
- Ajouter le thym et le persil frais haché.
- Assaisonner.
- Verser les oeufs battus sur le premier mélange dans la poêle.
- Remuer avec la fourchette jusqu'à ce que les oeufs prennent (coagulation).
- Cuire pendant 6 à 10 minutes environ.
- Terminer la cuisson à la poêle ou au four.
- Servir immédiatement.

## Mes conseils

- On peut ajouter un peu de beurre, si on le désire.
- On peut accompagner cette omelette d'une salade avec vinaigrette.
- Une sauce tomate ajouterait un élément agréable à ce plat.

*Rendement: 2 portions.*

# Omelette à l'effilochée de poireaux

10 à 12 oeufs
1/2 à 1 poireau moyen émincé
4 à 6 branches de persil frais hachées
2 à 4 c. à soupe (2 à 4 c. à table) de fromage parmesan râpé
4 à 6 c. à soupe (4 à 6 c. à table) de lait
2 à 4 c. à soupe (2 à 4 c. à table) de beurre
Sel et poivre au goût

**Méthode**
- Faire revenir le poireau dans un peu de beurre. Réfrigérer.
- Battre les oeufs en incorporant tous les ingrédients, sauf le beurre.
- Remuer quelque peu et cuire à la poêle dans le beurre, comme une omelette nature (recette p. 50).
- Servir.

**Mes conseils**
- On devrait faire cuire cette omelette pendant 2 à 4 minutes.
- On peut, avant la fin de la cuisson, saupoudrer de parmesan et passer l'omelette à «broil».

*Rendement: 6 portions.*

# Omelette à l'émincé de céleri

**4 oeufs**
**2 à 4 branches de persil frais hachées**
**1 à 2 branches de céleri émincées finement**
**1 oignon moyen haché**
**3 c. à soupe (3 c. à table) de poivron en dés**
**1 à 2 c. à soupe (1 à 2 c. à table) de fromage bleu**
**1 à 2 c. à soupe (1 à 2 c. à table) de beurre**
**Sel et poivre au goût**

**Méthode**
- Battre les oeufs avec le fromage et le persil.
- Assaisonner.
- Cuire le céleri à l'eau salée dans une casserole ou à la marguerite en le gardant légèrement croustillant.
- Faire revenir dans le beurre l'oignon haché ainsi que les dés de poivron.
- Verser le mélange aux oeufs. Remuer légèrement.
- Cuire pendant environ 4 à 6 minutes comme une omelette nature (recette p. 50).
- Servir.

**Mes conseils**
- On peut se servir d'un peu de crème de céleri en conserve et la mélanger avec les oeufs.
- Voilà une autre recette rapide utile lorsqu'on manque de temps.

*Rendement: 2 portions.*

# Omelette à l'indonésienne

8 oeufs
1 échalote sèche
1/2 c. à café (1/2 c. à thé) de piment séché ou en grains
1 carotte moyenne coupée en julienne
6 à 8 haricots verts coupés, cuits
1 à 3 c. à café (1 à 3 c. à thé) de sauce soya
120 ml (1/2 tasse) de fèves germées (germes de soya)
1 c. à soupe (1 c. à table) d'huile
2 c. à soupe (2 c. à table) de beurre
Sel et poivre au goût

## Méthode

* Battre les oeufs avec la sauce soya. Assaisonner.
* Faire revenir l'échalote et le piment dans le beurre avec un peu d'huile pendant environ 30 secondes.
* Ajouter les carottes, les haricots ainsi que les fèves germées et continuer la cuisson pendant 2 à 3 minutes.
* Verser les oeufs sur cette préparation.
* Cuire au four à 180 °C (350 °F).
* Servir lorsque l'omelette est ferme.

## Mes conseils

* Ne pas trop saler, car la sauce soya contient une certaine quantité de sel.

*Rendement: 4 portions.*

# Omelette à l'oseille n° 1

10 à 12 oeufs battus
1 oignon moyen haché
500 ml (2 tasses) d'oseille hachée
250 ml (1 tasse) environ de laitue (en feuilles) hachée
2 à 3 c. à soupe (2 à 3 c. à table) de cerfeuil ou de basilic haché
1 pincée de muscade
Sel et poivre au goût
3 jaunes d'oeufs battus
120 ml (1/2 tasse) environ de crème double (à 35 p. 100)
3 à 4 c. à soupe (3 à 4 c. à table) de croûtons
4 à 5 c. à soupe (4 à 5 c. à table) de beurre

## Méthode

- Faire revenir doucement l'oignon, l'oseille, la laitue et le cerfeuil ou le basilic dans un peu de beurre.
- Assaisonner.
- Mélanger ensemble les jaunes d'oeufs et la crème et les ajouter à la première préparation.
- Retirer du feu dès que le mélange commence à épaissir. Réserver cette farce au chaud.
- Faire une omelette avec les oeufs battus et le reste du beurre selon la méthode de l'omelette nature (recette p. 50) .
- Vers le milieu de la cuisson, déposer la farce ainsi que les croûtons sur l'omelette.
- Mettre une assiette de service sur la poêle.
- Renverser l'omelette proprement.
- Servir.

## Mes conseils

- Accompagner cette omelette d'un potage ou d'un bouillon clair.
- Breuvage recommandé: thé ou infusion.

*Rendement: 6 portions.*

# Omelette à l'oseille n° 2

**4 oeufs battus**
**250 ml (1 tasse) de feuilles d'oseille fraîches hachées**
**1/2 gousse d'ail hachée**
**2 c. à café (2 c. à thé) de ciboulette hachée**
**3 c. à soupe (3 c. à table) de crème double (à 35 p. 100)**
**Sel et poivre au goût**
**2 à 3 c. à soupe (2 à 3 c. à table) de beurre**

## Méthode

- Mélanger aux oeufs l'oseille, l'ail, la ciboulette et la crème.
- Assaisonner.
- Faire fondre le beurre dans une poêle.
- Y verser le mélange.
- Laisser prendre sans trop remuer en cuisant pendant environ 4 à 6 minutes.
- Servir.

## Mes conseils

- N'oubliez pas que l'omelette doit être assez épaisse pour que l'intérieur soit moelleux et que l'oseille soit presque crue.

*Rendement: 2 portions.*

# Omelette Argenteuil

**8 oeufs**
**400 ml (14 oz) d'asperges blanches et/ou vertes**
**1 à 4 c. à café (1 à 4 c. à thé) de farine**
**3 à 4 branches de persil frais hachées**
**1 à 2 c. à café (1 à 2 c. à thé) de ciboulette hachée**
**3 à 6 c. à soupe (3 à 6 c. à table) de crème double (à 35 p. 100)**
**2 à 3 c. à soupe (2 à 3 c. à table) de beurre**
**Sel et poivre au goût**

## Méthode
- Couper les asperges en petits morceaux en prenant soin de conserver les pointes intactes.
- Faire revenir les asperges dans un peu de beurre.
- Poudrer légèrement de farine.
- Ajouter une partie de la crème.
- Réserver.
- Mélanger les oeufs avec la ciboulette, le persil et le reste de la crème.
- Assaisonner.
- Cuire l'omelette dans le reste du beurre comme l'omelette nature (recette p. 50).
- Ajouter la garniture d'asperges vers la fin de la cuisson.
- Servir chaud.

## Mes conseils
- On peut préparer cette recette en faisant cuire les asperges à la marguerite. Verser les oeufs battus avec la crème et les autres ingrédients sur les légumes et cuire comme à l'habitude.

*Rendement: 4 portions.*

# Omelette au caviar d'aubergine

**8 oeufs**
**1 à 3 c. à soupe (1 à 3 c. à table) d'huile d'olive ou végétale**
**1/2 à 1 aubergine moyenne**
**2 à 4 c. à soupe (2 à 4 c. à table) de chapelure**
**1 à 2 c. à soupe (1 à 2 c. à table) de jus de citron**
**1/2 à 1 gousse d'ail hachée**
**3 à 6 branches de persil frais hachées**
**Basilic au goût**
**3 à 4 c. à soupe (3 à 4 c. à table) de crème double (à 35 p. 100)**
**2 à 3 c. à soupe (2 à 3 c. à table) de beurre**
**Sel et poivre au goût**

## Méthode

- Peler partiellement l'aubergine en laissant la moitié de la pelure. Couper en morceaux.
- Assaisonner.
- Passer au mélangeur ou au robot culinaire l'aubergine, l'ail, le persil, le basilic, la chapelure et l'huile en ajoutant le jus de citron et réserver.
- Mélanger les oeufs avec la crème. Assaisonner.
- Cuire dans une poêle avec le beurre selon la méthode de l'omelette nature (recette p. 50).
- Ajouter la garniture d'aubergine vers la fin de la cuisson.
- Replier l'omelette.
- Servir chaud.

## Mes conseils

- On pourrait ajouter des olives noires hachées dans la préparation d'aubergine.

*Rendement: 4 portions.*

# Omelette au coulis de tomates

**4 oeufs**
**3 à 4 branches de persil frais hachées**
**2 à 3 c. à soupe (2 à 3 c. à table) de coulis de tomates (recette p. 22)**
**2 à 3 c. à soupe (2 à 3 c. à table) de parmesan râpé**
**2 à 3 c. à soupe (2 à 3 c. à table) de beurre**
**Sel et poivre au goût**

## Méthode

- Battre les oeufs avec le parmesan et le persil.
- Assaisonner.
- Dans une poêle, faire fondre le beurre.
- Y verser le mélange aux oeufs.
- Brasser légèrement pendant 1 à 2 minutes.
- Ajouter un peu de coulis de tomates sur l'omelette.
- Continuer la cuisson jusqu'à l'obtention d'une consistance ferme.
- Couvrir le fond des assiettes chaudes du reste du coulis de tomates.
- Déposer une pointe d'omelette sur chaque assiette.

## Mes conseils

- S'assurer que le coulis de tomates ne soit pas trop liquide.

*Rendement: 2 portions.*

# Omelette au four

5 à 8 oeufs
250 à 500 ml (1 à 2 tasses) environ d'épinards en feuilles
120 ml (1/2 tasse) environ de lait
4 à 6 c. à soupe (4 à 6 c. à table) de crème double (à 35 p. 100)
120 ml (1/2 tasse) de pain rassis émietté
3 à 4 c. à soupe (3 à 4 c. à table) de beurre
Sel et poivre au goût

**Méthode**
- Préchauffer le four à 220 °C (425 °F).
- Séparer les jaunes des blancs d'oeufs et les réserver.
- Laver et éponger les épinards. Les hacher grossièrement.
- Les faire cuire avec un peu de beurre pendant environ 3 à 4 minutes.
- Faire bouillir légèrement le lait.
- Y ajouter le pain rassis. Retirer du feu pour laisser gonfler le pain.
- Incorporer, 10 minutes après, les jaunes d'oeufs en mélangeant bien.
- Ajouter les épinards et la crème. Assaisonner.
- Monter les blancs d'oeufs en neige.
- Y ajouter le mélange aux épinards en battant sans tourner.
- Verser dans un plat ou un moule beurré allant au four dont les bords ont au moins 5 cm (2 po) de hauteur.
- Cuire à 220 °C (425 °F) pendant 15 à 25 minutes.
- Servir immédiatement.

**Mes conseils**
- Ajouter de l'oseille, si désiré. Cela donnera un petit goût acide extrêmement agréable et frais. (Cuire avec les épinards.)

*Rendement: 4 portions.*

# Omelette au fromage

**4 oeufs**
**3 à 4 c. à soupe (3 à 4 c. à table) de fromage râpé, au choix**
**2 à 3 c. à soupe (2 à 3 c. à table) de lait**
**1 c. à café (1 c. à thé) de poudre à pâte (facultatif)**
**1 à 3 c. à soupe (1 à 3 c. à table) de beurre**
**Sel et poivre au goût**

## Méthode
- Battre les oeufs à l'aide d'une fourchette.
- Incorporer le lait, le fromage râpé et la poudre à pâte, si désiré.
- Assaisonner.
- Chauffer le beurre dans la poêle jusqu'à ce qu'il commence à se colorer.
- Y verser rapidement le mélange aux oeufs.
- Cuire à feu vif, en remuant la poêle et en brassant avec une fourchette jusqu'à ce que les oeufs prennent (coagulation). (Le temps de cuisson sera de 3 à 6 minutes environ.)
- Plier l'omelette.
- Servir.

## Mes conseils
- On peut terminer la cuisson au four à 200 °C (400 °F) ou à «broil». Attention, c'est rapide!

*Rendement: 2 portions.*

# Omelette au germe de blé

**4 oeufs**
**3 à 4 c. à soupe (3 à 4 c. à table) de fromage râpé, au choix**
**60 à 120 ml (1/4 à 1/2 tasse) de germe de blé**
**2 à 3 c. à soupe (2 à 3 c. à table) de lait**
**1 pincée de romarin**
**2 c. à soupe (2 c. à table) de beurre**
**ou**
**1 à 2 c. à soupe (1 à 2 c. à table) d'huile**
**Sel et poivre au goût**

## Méthode
- Battre les oeufs avec le lait, le sel et le romarin.
- Incorporer le germe de blé et le fromage.
- Bien mélanger.
- Chauffer le beurre ou l'huile dans la poêle à feu vif.
- Y verser le mélange. Réduire le feu et continuer la cuisson à feu doux pendant 5 à 10 minutes.
- Plier et servir.

## Mes conseils
- On sert cette omelette comme plat principal.
- On peut l'accompagner d'une petite salade et d'un plat de légumes.

*Rendement: 2 portions.*

# Omelette au poivron doux

**4 oeufs**
**1/2 poivron moyen en julienne**
**3 à 4 branches de persil frais hachées**
**1/2 gousse d'ail hachée**
**2 à 3 c. à soupe (2 à 3 c. à table) de crème double (à 35 p. 100)**
**1 à 2 c. à soupe (1 à 2 c. à table) de beurre**
**Sel et poivre au goût**

**Méthode**
- Battre les oeufs avec la crème et le persil.
- Assaisonner.
- Faire revenir le poivron et l'ail à feu vif dans le beurre.
- Verser le mélange aux oeufs sur le poivron.
- Décoller rapidement les oeufs qui se coagulent sur les bords de la poêle en les ramenant vers le centre à l'aide d'une spatule ou d'une fourchette.
- Laisser ensuite la poêle sur le feu moyen sans remuer jusqu'à ce que l'omelette soit bien ferme.
- Servir l'omelette pliée ou plate.

**Mes conseils**
- Selon les saisons, on peut utiliser des poivrons de plusieurs couleurs.
- On pourrait aussi ajouter de l'estragon.

*Rendement: 2 portions.*

# Omelette au ricotta

**4 oeufs**
**120 ml (1/2 tasse) de fromage ricotta**
**3 à 4 branches de persil frais hachées**
**1 à 2 c. à soupe (1 à 2 c. à table) de beurre**
**Sel et poivre au goût**

## Méthode
- Battre les oeufs.
- Ajouter le ricotta et le persil.
- Assaisonner.
- Cuire l'omelette dans le beurre à feu moyen pendant 4 à 6 minutes en remuant à l'aide d'une fourchette au début de la cuisson.
- Servir immédiatement.

## Mes conseils
- On peut remplacer le ricotta par du fromage cottage.
- On pourrait placer l'omelette au four à «broil» pendant quelques instants à la fin de la cuisson.

*Rendement: 2 portions*

# Omelette aux champignons sauvages

**8 oeufs**
**15 à 20 cèpes ou mousserons émincés**
**120 ml (1/2 tasse) de jambon en dés**
**1 gousse d'échalote sèche hachée**
**1/2 gousse d'ail hachée**
**2 à 3 c. à soupe (2 à 3 c. à table) d'huile d'olive ou végétale**
**2 c. à soupe (2 c. à table) de beurre**
**Sel et poivre au goût**

## Méthode

- Bien battre les oeufs sans les monter en neige. Assaisonner.
- Cuire les champignons, le jambon, l'ail et l'échalote dans l'huile à feu moyen pendant 5 à 8 minutes.
- Remuer sans cesse. Laisser tiédir.
- Ajouter ensuite aux oeufs et laisser reposer pendant 20 minutes environ.
- Cuire dans le beurre jusqu'à l'obtention d'une texture moelleuse, pas trop ferme.
- Servir immédiatement.

## Mes conseils

- Si vous utilisez des champignons secs:
  - Les faire tremper dans l'eau tiède pendant 2 heures.
  - Les égoutter et les rincer 2 à 3 fois.
  - Les cuire par la suite comme des champignons frais.
- On peut aussi utiliser des morilles, des trompettes de la mort, des girolles, etc.

*Rendement: 4 portions.*

# Omelette aux concombres

**4 oeufs**
**1/2 concombre moyen**
**2 à 4 c. à soupe (2 à 4 c. à table) de crème double (à 35 p. 100)**
**2 à 3 branches de persil frais hachées**
**2 à 3 c. à soupe (2 à 3 c. à table) de beurre**
**Sel et poivre au goût**

## Méthode
- Éplucher le concombre.
- Le couper en petits dés ou en julienne.
- Séparer les blancs des jaunes d'oeufs.
- Dans un bol à mélanger, mêler les dés de concombre, la crème, le persil et les jaunes d'oeufs.
- Assaisonner.
- Monter les blancs en neige.
- Incorporer à l'appareil aux jaunes d'oeufs.
- Cuire à la poêle dans le beurre, à feu moyen, jusqu'à l'obtention de la consistance désirée.
- Servir.

## Mes conseils
- Au début de la cuisson on agite légèrement les oeufs à l'aide d'une fourchette.
- On peut décorer de rondelles de concombre roulées dans le persil frais et de tranches d'olives noires.

*Rendement: 2 portions.*

# Omelette aux feuilles de céleri

**4 oeufs battus**
**120 ml (1/2 tasse) de feuilles de céleri hachées finement**
**2 à 4 c. à soupe (2 à 4 c. à table) de crème double (à 35 p. 100)**
**1 à 2 c. à soupe (1 à 2 c. à table) de beurre**
**1 à 2 c. à café (1 à 2 c. à thé) de graines de céleri**
**Sel et poivre au goût**

## Méthode
- Mélanger ensemble tous les ingrédients, sauf le beurre.
- Chauffer la poêle et y faire fondre le beurre.
- Y verser l'appareil.
- Cuire à feu vif pendant 4 à 6 minutes en remuant avec une fourchette au début de la cuisson.
- Servir.

## Mes conseils
- La cuisson doit se faire à feu vif au début, mais vous pouvez terminer l'opération au four à une température de 190 °C (375 °F) environ. Il serait préférable alors de préchauffer le four.

*Rendement: 2 portions.*

# Omelette aux fines herbes

**4 oeufs**
**1 à 2 c. à café (1 à 2 c. à thé) de ciboulette hachée**
**2 à 3 branches de persil frais hachées**
**Thym ou autre aromate au choix, au goût**
**2 à 4 c. à soupe (2 à 4 c. à table) de lait**
**1 à 2 c. à soupe (1 à 2 c. à table) de beurre**
**Sel et poivre au goût**

**Méthode**
- Mélanger ensemble tous les ingrédients, sauf le beurre.
- Cuire dans le beurre à feu moyen en remuant pendant environ 1 minute, puis laisser s'achever la cuisson jusqu'à l'obtention d'une consistance ferme.
- Servir chaud.

**Mes conseils**
- On peut ajouter le fromage râpé de son choix et faire gratiner l'omelette au four à «broil».

*Rendement: 2 portions.*

# Omelette aux haricots verts

8 oeufs
3 tranches de bacon en dés
250 ml (1 tasse) environ de haricots verts coupés en tronçons
1/2 oignon moyen haché
Sel et poivre au goût
2 à 3 c. à soupe (2 à 3 c. à table) de beurre coupé en petits morceaux

## Méthode

- Faire cuire les haricots à la vapeur, dans une marguerite, ou à l'eau salée. Refroidir.
- Mélanger ensemble les oeufs, le sel, le poivre et le beurre.
- Faire revenir le bacon dans une poêle avec l'oignon pendant 1 à 2 minutes à feu vif.
- Enlever le surplus de graisse liquide dans la poêle, s'il y a lieu.
- Y verser le mélange d'oeufs.
- Cuire l'omelette en prenant soin de remuer à l'aide d'une fourchette au début.
- Continuer la cuisson jusqu'à ce que les oeufs prennent (coagulation).
- Servir chaud.

## Mes conseils

- On pourrait utiliser ensemble des haricots jaunes et verts.
- Ajouter de la crème double (à 35 p. 100) ou du lait aux oeufs pour rendre l'omelette plus moelleuse.

*Rendement: 4 portions.*

# Omelette aux légumes fins

4 oeufs
4 à 8 asperges blanches hachées
1/2 courgette moyenne en rondelles
2 à 3 branches de persil frais hachées
1/2 gousse d'ail hachée (facultatif)
1 c. à soupe (1 c. à table) environ de beurre
3 à 5 c. à soupe (3 à 5 c. à table) de bouillon de volaille
Origan au goût
Paprika au goût
Sel et poivre au goût

## Méthode
- Faire revenir légèrement dans le beurre les légumes avec le persil frais pendant 2 à 3 minutes.
- Ajouter une pointe d'ail, si désiré.
- Ajouter le bouillon de volaille. Laisser réduire légèrement.
- Battre les oeufs et les verser sur la première préparation.
- Assaisonner.
- Cuire pendant quelques minutes jusqu'à l'obtention d'une consistance ferme.
- Poudrer d'origan et de paprika.
- Servir chaud.

## Mes conseils
- On peut remplacer les asperges et les courgettes par d'autres légumes fins tels des coeurs d'artichaut ou des coeurs de palmier par exemple.

*Rendement: 2 portions.*

# Omelette aux pâtes

**4 oeufs**
**750 ml (3 tasses) ou moins de pâtes cuites au choix (linguine, spaghetti, etc.)**
**250 ml (1 tasse) de parmesan râpé**
**4 à 6 branches de persil frais hachées**
**3 à 4 c. à soupe (3 à 4 c. à table) de beurre**
**Sel et poivre au goût**

## Méthode

- Cuire les pâtes (linguine ou autres) dans de l'eau bouillante salée.
- Égoutter. Ajouter aux pâtes un peu de beurre, les poudrer de parmesan râpé et les couper en petits morceaux.
- Battre les oeufs avec le persil. Assaisonner.
- Incorporer les pâtes coupées.
- Faire fondre une partie du beurre à feu doux dans une poêle.
- Y verser le mélange et l'étaler uniformément.
- Remuer la poêle en l'inclinant légèrement pour que les bords de l'omelette cuisent bien, c'est-à-dire pendant 2 à 3 minutes.
- Renverser l'omelette dans une assiette lorsque les bords sont dorés.
- Remettre un peu de beurre dans la poêle et y glisser l'omelette pour faire colorer l'autre face.
- Servir chaud.

## Mes conseils

- La cuisson des pâtes doit être «al dente».
- L'omelette aux pâtes doit ressembler à une belle galette bien dorée.

*Rendement: 4 portions.*

# Omelette aux petits légumes n° 1

**8 oeufs**
**2 à 3 c. à soupe (2 à 3 c. à table) de crème double (à 35 p. 100)**
**8 petits bouquets de brocoli**
**3 c. à café (3 c. à thé) de carotte hachée**
**3 c. à café (3 c. à thé) de céleri haché**
**2 à 4 c. à café (2 à 4 c. à thé) d'oignon haché**
**2 à 4 c. à soupe (2 à 4 c. à table) de beurre**
**3 à 4 c. à soupe (3 à 4 c. à table) de fromage râpé (au choix)**
**1 à 2 pincées de thym**
**Sel et poivre au goût**
**1 1/2 c. à café (1 1/2 c. à thé) environ de poudre à pâte**

## Méthode

- Blanchir tous les légumes, sauf l'oignon.
- Battre les oeufs avec la crème et la poudre à pâte.
- Assaisonner.
- Faire fondre le beurre dans une poêle.
- Y faire suer l'oignon haché.
- Verser le mélange aux oeufs sur l'oignon. Remuer avec la fourchette.
- Ajouter les légumes blanchis et saupoudrer de fromage.
- Terminer la cuisson au four jusqu'à ce que l'omelette soit bien gonflée, c'est-à-dire pendant 6 à 8 minutes.
- Servir.

## Mes conseils

- On pourrait ajouter les légumes blanchis à l'appareil d'oeufs battus avant de verser ce dernier dans la poêle.
- Cette omelette peut être gratinée.

*Rendement: 4 portions.*

# Omelette aux petits légumes n° 2

**4 oeufs**
**1 à 3 c. à café (1 à 3 c. à thé) de céleri**
**1 à 3 c. à café (1 à 3 c. à thé) d'oignon**
**1 à 3 c. à café (1 à 3 c. à thé) de carotte**
**1 à 3 c. à café (1 à 3 c. à thé) de navet**
**1 à 3 c. à soupe (1 à 3 c. à table) de lait**
**1 à 2 c. à soupe (1 à 2 c. à table) de beurre**
**Parmesan râpé au goût**
**1 pincée de muscade**
**Sel et poivre au goût**

## Méthode
- Hacher les légumes très finement.
- Les cuire dans de l'eau bouillante et les égoutter.
- Battre les oeufs avec le lait.
- Y ajouter les légumes, le parmesan et la muscade.
- Assaisonner.
- Faire fondre le beurre dans une poêle et y cuire le mélange.
- Remuer une ou deux fois à l'aide d'une fourchette au début de la cuisson.
- Terminer la cuisson sans remuer jusqu'à ce que l'omelette soit ferme, c'est-à-dire pendant 3 à 6 minutes.
- Servir chaud.

## Mes conseils
- Avant la fin de la cuisson, on peut ajouter du fromage râpé et faire gratiner l'omelette.

*Rendement: 2 portions.*

# Omelette aux tomates à ma façon

**4 oeufs**
**1 tomate fraîche en tranches de 1 cm (1/2 po)**
**1 à 3 c. à soupe (1 à 3 c. à table) d'huile d'olive ou végétale**
**120 ml (1/2 tasse) de farine**
**Sel et poivre au goût**

## Méthode
- Fariner les tranches de tomate.
- Les faire dorer sur les 2 faces dans une poêle avec la moitié de l'huile.
- Laisser reposer sur un papier absorbant pour éliminer l'excédent d'huile.
- Chauffer le reste de l'huile.
- Ajouter les tomates et verser les oeufs battus et assaisonnés dessus.
- Lorsque les oeufs sont pris, les décoller des parois à l'aide d'une spatule.
- Placer une assiette sur l'omelette et renverser.
- Remettre l'omelette dans la poêle et cuire l'autre face pendant 1 à 2 minutes.
- Servir chaud ou froid.

## Mes conseils
- On peut utiliser des tomates vertes.
- Il serait également bon de poudrer de parmesan.

*Rendement: 2 portions.*

# Omelette boulangère

**4 oeufs**
**2 à 3 branches de persil frais hachées**
**2 à 3 c. à soupe (2 à 3 c. à table) de sauce Béchamel (recette p. 34)**
**1 à 2 c. à soupe (1 à 2 c. à table) de fromage parmesan**
**2 à 3 c. à soupe (2 à 3 c. à table) de beurre**
**Sel et poivre au goût**

## Méthode

- Séparer les blancs des jaunes d'oeufs.
- Mélanger les jaunes avec le persil, le fromage et la sauce Béchamel. Assaisonner.
- Monter les blancs d'oeufs en neige en y ajoutant une pincée de sel.
- Les incorporer délicatement aux jaunes.
- Cuire dans le beurre et brasser avec une fourchette durant les premiers moments.
- Servir.

## Mes conseils

- La consistance de la sauce Béchamel devrait être assez ferme.
- On peut remplacer la sauce Béchamel par de la sauce Mornay (voir «Mes conseils», p. 34).

*Rendement: 2 portions.*

# Omelette bretonne

**4 oeufs**
**60 à 120 ml (1/4 à 1/2 tasse) de poireau émincé**
**2 à 3 c. à soupe (2 à 3 c. à table) d'oignon haché**
**10 à 12 champignons émincés**
**2 à 3 c. à soupe (2 à 3 c. à table) de beurre**
**Sel et poivre au goût**

## Méthode

- Faire revenir les légumes dans le beurre.
- Verser les oeufs battus sur cette préparation et assaisonner.
- Brasser légèrement à l'aide d'une fourchette.
- Laisser prendre pendant 5 à 8 minutes.
- Servir chaud.

## Mes conseils

- On peut accompagner cette omelette de pommes de terre en purée, sautées ou tout simplement cuites à la vapeur.
- Une tranche de jambon froid compléterait bien l'assiette.

*Rendement: 2 portions.*

# Omelette Caruso

4 oeufs
4 à 5 foies de poulet
2 à 4 c. à soupe (2 à 4 c. à table) d'oignon haché
6 à 10 champignons émincés
1 pincée de thym ou de fines herbes mélangées
2 à 3 tranches minces de bacon en dés
Sel et poivre au goût
2 à 3 c. à soupe (2 à 3 c. à table) de sauce Bercy (recette p. 35)
(facultatif)

**Méthode**
• Hacher les foies de poulet.
• Ajouter le thym ou les fines herbes.
• Faire revenir le bacon pendant 2 à 3 minutes.
• Ajouter l'oignon haché, les foies, puis les champignons et laisser cuire encore pendant 2 minutes.
• Battre les oeufs, les assaisonner et les verser sur les autres ingrédients.
• Remuer à l'aide d'une fourchette pendant les premiers instants de la cuisson, puis laisser cuire pendant 4 à 6 minutes.
• Servir chaud et accompagner d'un cordon de sauce Bercy, si désiré.

**Mes conseils**
• On peut utiliser des foies de canard, d'oie ou d'autre gibier à plumes.
• La cuisson peut se faire au beurre si on le désire. On retire alors le bacon.

*Rendement: 2 portions.*

# Omelette Catherina

**4 oeufs**
**3 c. à soupe (3 c. à table) d'oignon haché**
**120 ml (1/2 tasse) de courgette râpée**
**1/2 aubergine moyenne pelée, coupée en dés**
**3 c. à soupe (3 c. à table) de poivron haché**
**2 à 3 tranches de bacon en dés**
**Sel et poivre au goût**

## Méthode

- Faire revenir le bacon pendant 2 à 4 minutes, avec l'oignon, le poivron, la courgette et l'aubergine. Réserver cette garniture au chaud.
- Faire cuire les oeufs selon la méthode de l'omelette nature (recette p. 50) dans le gras de bacon qui reste dans la poêle.
- Assaisonner.
- Fourrer l'omelette de la garniture et la replier.
- Servir.

## Mes conseils

- Il est excellent d'accompagner cette omelette d'un cordon de sauce tomate.
- Il serait bon de relever le goût des légumes avec du basilic.
- On peut aussi faire cuire l'omelette dans du beurre.

*Rendement: 2 portions.*

# Omelette chinoise

**4 oeufs**
**1 oignon vert haché**
**6 à 9 champignons émincés**
**120 ml (1/2 tasse) de chou vert ou chinois ciselé finement**
**1/2 à 1 c. à café (1/2 à 1 c. à thé) de sauce soya**
**1/2 c. à café (1/2 c. à thé) environ de fécule de maïs**
**4 c. à café (4 c. à thé) d'eau froide ou plus**
**1 à 3 c. à soupe (1 à 3 c. à table) de beurre**
**Sel et poivre au goût**

## Méthode
- Faire fondre une partie du beurre dans une poêle chaude.
- Faire revenir l'oignon, les champignons et le chou pendant 2 à 3 minutes.
- Mélanger la fécule de maïs avec la sauce soya et l'eau.
- Verser sur les légumes et retirer la poêle du feu aussitôt que les légumes deviennent légèrement lustrés. Réserver au chaud.
- Battre les oeufs, les assaisonner et les cuire avec le reste du beurre.
- Quand l'omelette est à point, en glisser une moitié sur un plat, ajouter la garniture et replier adroitement l'autre partie par-dessus.
- Servir.

## Mes conseils
- Pour diluer la fécule de maïs, on pourrait utiliser du bouillon de volaille.
- On peut ajouter des petites crevettes ou du porc émincé à la garniture.

*Rendement: 2 portions.*

# Omelette Crécy

**8 oeufs**
**1 à 2 carottes moyennes en rondelles, cuites**
**1/2 oignon moyen haché**
**3 à 5 branches de persil frais hachées**
**1 1/2 à 3 c. à soupe (1 1/2 à 3 c. à table) de jus d'orange**
**Muscade au goût (facultatif)**
**2 à 3 c. à soupe (2 à 3 c. à table) de beurre**
**Sel et poivre au goût**

## Méthode

- Faire revenir dans le beurre l'oignon haché, les rondelles de carottes et le persil. Ajouter la muscade.
- Ajouter le jus d'orange.
- Laisser réduire un peu.
- Verser les oeufs battus sur la première préparation et remuer légèrement pendant quelques instants. Assaisonner.
- Continuer la cuisson sans brasser jusqu'à l'obtention d'une consistance ferme.
- Servir chaud.

## Mes conseils

- On pourrait ajouter durant la cuisson une feuille de menthe hachée.

*Rendement: 4 portions.*

# Omelette crémeuse

**3 oeufs pochés**
**7 oeufs crus**
**500 ml (2 tasses) de champignons hachés**
**500 ml (2 tasses) environ de sauce Mornay (voir «Mes conseils»,**
**p. 34)**
**2 à 3 c. à soupe (2 à 3 c. à table) de beurre**
**3 c. à soupe (3 c. à table) de parmesan râpé**
**3 olives noires**
**Sel et poivre au goût**

**Méthode**
- Chauffer une poêle avec un peu de beurre et y faire suer les champignons. Laisser réduire jusqu'à l'évaporation de toute l'eau des champignons.
- Incorporer à la sauce une partie des champignons.
- Faire cuire les oeufs selon la méthode de l'omelette nature (recette p. 50) pour obtenir une omelette très moelleuse.
- Renverser sur un plat.
- Faire une incision à la surface sur toute la longueur; cette incision s'ouvrira un peu.
- Fourrer l'ouverture du reste des champignons.
- Disposer harmonieusement les oeufs pochés chauds.
- Napper de sauce. Poudrer de parmesan. Gratiner rapidement.
- Décorer d'olives noires coupées en deux.
- Servir.

**Mes conseils**
- C'est une excellente omelette pour un brunch; sa présentation sera remarquée.
- La sauce Mornay doit être très consistante.
- S'assurer de ne pas trop faire coaguler les jaunes des oeufs pochés en faisant gratiner l'omelette.

*Rendement: 4 à 5 portions.*

# Omelette de Célestin

8 oeufs battus
1/2 aubergine moyenne
2 tomates tranchées
100 g (3 oz) de bacon en dés
120 ml (1/2 tasse) de farine
3 à 6 c. à soupe (3 à 6 c. à table) de beurre ou d'huile d'olive ou
  végétale
4 branches de persil frais hachées
Sel et poivre au goût

## Méthode
- Éplucher et couper l'aubergine en petits dés.
- Saler légèrement. Laisser dégorger une heure environ.
- Faire dorer le bacon dans un peu d'huile (1 à 2 c. à soupe
  (1 à 2 c. à table) environ).
- Égoutter sur un papier absorbant et réserver au chaud.
- Éponger les dés d'aubergine et les fariner.
- Ajouter un peu d'huile dans la poêle, s'il y a lieu.
- Faire dorer les dés d'aubergine.
- Répéter ces trois dernières opérations pour les tranches de
  tomates.
- Faire chauffer le beurre avec un peu d'huile dans une autre
  poêle.
- Y verser les oeufs battus assaisonnés.
- Cuire jusqu'à l'obtention d'une consistance ferme, c'est-à-
  dire pendant 15 minutes environ.
- Au moment de replier l'omelette, la garnir avec les dés
  d'aubergine, le bacon et les tomates.
- Dresser sur un plat de service.
- Décorer avec le persil haché.
- Servir.

## Mes conseils
- S'il reste de la garniture, la placer en cordon autour de
  l'omelette.

*Rendement: 4 portions.*

# Omelette des Alpes

**8 oeufs**
**1 à 2 pommes de terre moyennes**
**2 à 3 c. à soupe (2 à 3 c. à table) de fromage râpé (gruyère, cheddar**
**ou autre)**
**3 à 6 branches de persil frais hachées**
**1 à 2 c. à soupe (1 à 2 c. à table) de chapelure**
**2 à 3 tranches de bacon en dés**
**Sel et poivre au goût**

## Méthode

- Battre les oeufs avec le fromage et le persil. Assaisonner.
- Éplucher et râper les pommes de terre.
- Dans une poêle, faire revenir le bacon pendant 1 à 2 minutes à feu vif.
- Ajouter les pommes de terre, puis la chapelure.
- Réduire l'intensité du feu. Remuer.
- Verser le mélange d'oeufs sur cette préparation.
- Cuire pendant 3 à 6 minutes environ en brassant avec une fourchette au début de la cuisson.
- Servir.

## Mes conseils

- C'est une excellente omelette pour un brunch.
- On ajoutera de la poudre à pâte pour une cuisson complète au four.

*Rendement: 4 portions.*

# Omelette Du Barry

**8 oeufs**
**120 ml (1/2 tasse) environ de lait**
**2 c. à soupe (2 c. à table) de beurre**
**2 à 3 c. à soupe (2 à 3 c. à table) de fromage râpé**
**1/2 chou-fleur moyen**
**Sel et poivre au goût**
**120 ml (1/2 tasse) environ de sauce Béchamel (recette p. 34)**

## Méthode

* Préchauffer le four à 190 °C (375 °F).
* Faire blanchir les bouquets de chou-fleur à l'eau bouillante salée ou à la marguerite.
* Faire revenir le chou-fleur dans le beurre; ajouter le lait et cuire pendant 5 à 7 minutes.
* À l'aide du robot culinaire ou du mélangeur, réduire le chou-fleur en purée.
* Mélanger la purée de chou-fleur à la sauce Béchamel.
* Incorporer les oeufs et le fromage. Assaisonner.
* Verser dans un moule rond beurré.
* Couvrir d'un rond de papier ciré.
* Cuire au bain-marie pendant 30 à 40 minutes.
* Démouler et servir chaud.

## Mes conseils

* On peut relever la sauce Béchamel avec de la muscade.
* Cette omelette pourrait accompagner une viande.

*Rendement: 4 portions.*

# Omelette du Carême

**4 oeufs**
**1 à 2 c. à soupe (1 à 2 c. à table) de beurre**
**2 à 3 c. à soupe (2 à 3 c. à table) de fromage râpé au choix (facultatif)**
**6 à 8 champignons hachés, cuits**
**2 c. à soupe (2 c. à table) de sauce Mornay (voir «Mes conseils»,**
   **p. 34)**
**2 à 3 c. à soupe (2 à 3 c. à table) de croûtons**
**Sel et poivre au goût**

## Méthode

- Préchauffer le four à 150 °C (300 °F) environ.
- Battre les oeufs.
- Incorporer la sauce Mornay et les champignons hachés.
- Assaisonner.
- Faire fondre le beurre dans une poêle.
- Y verser le mélange.
- Cuire au four à feu doux. Réduire l'intensité du four si l'omelette dore trop vite.
- Ajouter les croûtons et le fromage râpé à la fin de la cuisson.
- Passer l'omelette au four à «broil» pendant quelques instants.
- Servir.

## Mes conseils

- Sortir l'omelette du four quand elle est encore «mollette» car hors du four, elle continue de cuire un peu.

*Rendement: 2 portions.*

# Omelette du Japon

**4 oeufs**
**1/2 c. à café (1/2 c. à thé) de gingembre frais haché**
**2 c. à café (2 c. à thé) d'oignon haché**
**2 c. à café (2 c. à thé) de céleri émincé**
**120 ml (1/2 tasse) de laitue romaine ou de chou chinois ciselé**
**6 à 8 champignons émincés**
**3 à 4 branches de persil frais hachées**
**2 c. à soupe (2 c. à table) d'huile**
**1 c. à café (1 c. à thé) de sauce soya**
**1 à 2 c. à café (1 à 2 c. à thé) de saké ou de xérès sec**
**Sel et poivre au goût**
**1/2 c. à soupe (1/2 c. à table) de beurre**

## Méthode

- Battre les oeufs avec le persil. Assaisonner.
- Faire revenir tous les légumes dans le beurre et l'huile pendant 2 à 4 minutes, en déposant en premier dans la poêle l'oignon haché et le gingembre.
- Verser le saké ou le xérès, puis la sauce soya.
- Ajouter dans la poêle le mélange aux oeufs.
- Remuer un peu, puis laisser cuire.
- Quand l'omelette est à point, la glisser sur un plat.
- Servir.

## Mes conseils

- A défaut de saké ou de xérès, un vin blanc sec bon marché fera l'affaire.

*Rendement: 2 portions.*

# Omelette du rang

**4 oeufs**
**2 à 3 tranches de bacon en dés**
**1/2 poireau moyen émincé (partie blanche)**
**3 à 4 tomates en conserve hachées, sans le jus**
**1 pomme de terre moyenne cuite, coupée en cubes**
**3 à 4 c. à soupe (3 à 4 c. à table) de crème double (à 35 p. 100)**
**3 à 4 c. à soupe (3 à 4 c. à table) de parmesan râpé**
**1 à 2 pincées de thym**
**Sel et poivre au goût**

## Méthode

- Battre les oeufs avec le parmesan et le thym. Assaisonner.
- Fouetter la crème et l'incorporer aux oeufs.
- Faire chauffer la poêle avec le bacon pendant 1 à 2 minutes à feu vif.
- Ajouter le poireau, la pomme de terre et les tomates.
- Laisser mijoter à feu modéré pendant 2 à 3 minutes.
- Verser les oeufs sur les légumes. Remuer légèrement pendant les premiers instants de la cuisson.
- Continuer la cuisson jusqu'à ce que l'omelette ait une consistance assez ferme.
- Servir.

## Mes conseils

- On pourrait ajouter les restes de légumes d'un repas antérieur.
- Un peu de sauce Béchamel pourrait remplacer la crème.

*Rendement: 2 portions.*

# Omelette du vrai Suisse

4 oeufs
1 pomme de terre
1/2 oignon moyen haché
1/2 gousse d'ail hachée
3 à 4 branches de persil frais hachées
3 à 5 c. à soupe (3 à 5 c. à table) de gruyère râpé ou d'un autre fromage au choix
1 à 3 c. à soupe (1 à 3 c. à table) de beurre ou 4 tranches de bacon en dés
Sel et poivre au goût

## Méthode

- Râper la pomme de terre sans l'éplucher.
- Battre les oeufs en ajoutant la pomme de terre, l'oignon, l'ail, le persil et le fromage râpé.
- Assaisonner.
- Chauffer la poêle avec le beurre ou le bacon.
- Procéder pour la cuisson comme pour l'omelette nature (recette p. 50) ou l'omelette minceur (recette p. 113).
- Faire dorer pendant 5 minutes environ des deux côtés.
- Servir.

## Mes conseils

- N'utiliser pour cette omelette que des fromages à pâte ferme.
- Il serait bon de poudrer de paprika avant de servir.

*Rendement: 2 portions.*

# Omelette flambée du tsar

8 oeufs
2 à 3 c. à soupe (2 à 3 c. à table) de beurre
1/2 à 1 oignon moyen haché
1 c. à café (1 c. à thé) de paprika
1 pincée de sel
2 à 3 c. à soupe (2 à 3 c. à table) de yogourt nature ou de crème sure
3 à 4 c. à soupe (3 à 4 c. à table) de vodka

**Méthode**

- Faire revenir l'oignon haché dans un peu de beurre et poudrer généreusement de paprika. Réserver.
- Battre les oeufs délicatement avec les oignons refroidis. Saler.
- Dans une poêle, faire fondre le reste du beurre.
- Cuire l'omelette.
- Après 5 à 8 minutes de cuisson, mettre au centre de l'omelette de la crème sure ou du yogourt mélangé avec du paprika; continuer la cuisson pendant encore 2 à 5 minutes.
- Plier en deux en formant une demi-lune ou ramener deux extrémités vers le centre pour former un genre de tube.
- Avant de servir, verser la vodka dans une louche et chauffer.
- Faire flamber la vodka et la jeter sur l'omelette.
- Servir.

**Mes conseils**

- On peut passer les oignons hachés et le paprika au tamis fin, les remettre dans la poêle et ajouter le reste du beurre, puis cuire l'omelette dans cette préparation.
- L'addition de ciboulette dans la crème sure ou le yogourt donnerait une saveur exquise à cette omelette.

*Rendement: 4 portions.*

# Omelette florentine

**4 oeufs battus**
**2 c. à soupe (2 c. à table) d'oignon émincé**
**500 ml (2 tasses) d'épinards en feuilles lavés**
**1 à 2 c. à soupe (1 à 2 c. à table) de fromage à la crème**
**1 pincée de muscade**
**1 à 2 c. à soupe (1 à 2 c. à table) de beurre**
**Sel et poivre au goût**

**Méthode**

- Faire revenir dans un peu de beurre l'oignon émincé et les épinards.
- Assaisonner et ajouter la muscade.
- Réserver.
- Ajouter aux oeufs battus le fromage à la crème en parcelles ainsi que les légumes.
- Cuire avec le reste du beurre pendant 4 à 5 minutes en remuant au début de la cuisson.
- Servir chaud.

**Mes conseils**

- On peut remplacer le fromage à la crème par un fromage râpé au choix.
- Certains ajouteront des champignons émincés.

*Rendement: 2 portions.*

# Omelette forestière

**4 oeufs**
**Environ 12 champignons émincés**
**1/2 échalote hachée**
**2 à 3 branches de persil frais hachées**
**2 à 3 c. à café (2 à 3 c. à thé) de sauce brune (recette p. 36)**
   **(facultatif)**
**1 à 2 c. à soupe (1 à 2 c. à table) de beurre**
**Sel et poivre au goût**

## Méthode

- Dans un bol, mélanger les oeufs avec le persil frais.
- Assaisonner.
- Faire revenir les légumes dans le beurre pendant environ 3 minutes.
- Ajouter la sauce brune, si désiré. Laisser réduire un peu.
- Ajouter les oeufs. Remuer avec une fourchette pendant les premiers instants, puis laisser prendre.
- Faire décoller l'omelette à l'aide d'une spatule et la plier.
- Servir.

## Mes conseils

- Émincer les champignons d'une grosseur moyenne, car à la cuisson ils réduisent considérablement de volume: un champignon contient plus de 60 p. 100 d'eau.

*Rendement: 2 portions.*

# Omelette gourmande

**4 oeufs**
**120 ml (1/2 tasse) de feuilles d'épinards hachées**
**6 à 10 champignons émincés**
**1 à 2 c. à soupe (1 à 2 c. à table) de chapelure**
**2 à 3 c. à soupe (2 à 3 c. à table) de fromage râpé**
**2 à 3 c. à soupe (2 à 3 c. à table) de beurre**
**Sel et poivre au goût**

**Méthode**

- Laver et égoutter les légumes.
- Battre les oeufs. Assaisonner.
- Faire revenir les légumes à la poêle, dans le beurre, pendant environ 2 minutes.
- Poudrer de chapelure et mélanger.
- Verser tout de suite les oeufs battus sur cette préparation.
- Remuer légèrement, puis laisser cuire.
- Vers la fin de la cuisson, parsemer de fromage râpé.
- Faire gratiner au four à «broil».
- Servir.

**Mes conseils**

- On peut ajouter des croûtons sur l'omelette avant de la couvrir de fromage.

*Rendement: 2 portions.*

# Omelette Henri

**8 oeufs**
**120 ml (1/2 tasse) environ de lait**
**Roux:**
    **1 1/2 à 2 c. à soupe (1 1/2 à 2 c. à table) de farine**
    **1 1/2 à 2 c. à soupe (1 1/2 à 2 c. à table) de beurre**
**Sel et poivre au goût**
**1 pomme de terre moyenne en petits dés, cuite**
**1/2 poireau moyen ciselé**
**2 à 3 c. à soupe (2 à 3 c. à table) de beurre**

**Méthode**

- Préchauffer le four à 140 °C (275 °F).
- Faire un roux blanc et y ajouter un peu de lait. Remuer jusqu'à l'obtention de la consistance d'une sauce, puis réserver.
- Faire blanchir le poireau ciselé.
- À l'aide du batteur, mélanger les oeufs avec le roux, puis incorporer les légumes.
- Verser l'appareil dans un moule beurré et cuire au bain-marie au four à 140 °C (275 °F) pendant 40 minutes ou jusqu'à ce que l'omelette soit bien gonflée.
- Servir chaud.

**Mes conseils**

- Avant la cuisson, on peut recouvrir d'un papier ciré.
- On pourrait ajouter dans l'omelette des lardons préalablement blanchis et sautés.
- Une sauce veloutée (recette p. 42) accompagnerait bien ce plat.

*Rendement: 4 portions.*

# Omelette Laurence

**4 oeufs**
**6 à 8 champignons émincés**
**1/2 courgette moyenne râpée très finement**
**4 à 6 asperges vertes ou blanches, cuites**
**3 à 4 branches de persil frais hachées**
**2 à 3 c. à soupe (2 à 3 c. à table) de crème double (à 35 p. 100)**
**1 à 3 c. à soupe (1 à 3 c. à table) de beurre**
**Sel et poivre au goût**

## Méthode

- Battre les oeufs avec la crème, le persil et la courgette râpée. Assaisonner.
- Faire revenir les champignons dans le beurre pendant quelques minutes à feu vif.
- Verser le mélange aux oeufs sur cette préparation. Brasser à l'aide d'une fourchette au début de la cuisson des oeufs.
- Lorsqu'elle est à point, glisser la moitié de l'omelette sur un plat.
- Garnir de pointes d'asperges.
- Replier adroitement l'omelette.
- Servir.

## Mes conseils

- On peut faire revenir les asperges dans le beurre avant d'en garnir l'omelette.
- On pourrait napper l'omelette d'un peu de sauce Mornay (voir «Mes conseils», p. 34) et terminer la cuisson au four à «broil».

*Rendement: 2 portions.*

# Omelette lyonnaise

**8 oeufs**
**2 oignons moyens émincés**
**2 c. à soupe (2 c. à table) de persil frais haché**
**2 à 3 c. à soupe (2 à 3 c. à table) de crème double (à 35 p. 100)**
**2 à 3 c. à soupe (2 à 3 c. à table) de vinaigre de vin rouge**
**1 à 3 c. à soupe (1 à 3 c. à table) de beurre**
**Sel et poivre au goût**
**200 ml (7/8 tasse) de sauce brune (recette p. 36)**

## Méthode

- Faire revenir les oignons et le persil dans le beurre pendant environ 2 minutes à feu moyen. Ajouter le vinaigre de vin.
- Verser les oeufs déjà liés et battus avec la crème sur la première préparation.
- Assaisonner.
- Cuire jusqu'à ce que la texture soit ferme.
- Accompagner d'un cordon de sauce brune.
- Servir.

## Mes conseils

- Une autre sauce vite faite pour accompagner cette omelette:
  - Faire revenir des oignons émincés dans un peu de beurre.
  - Ajouter un peu de farine.
  - Y verser un peu de consommé de boeuf.
  - Laisser cuire jusqu'à l'obtention de la consistance désirée.

*Rendement: 4 portions.*

# Omelette marinara

8 oeufs
2 branches de céleri hachées
1/2 oignon moyen haché
1/2 poivron moyen haché
4 à 5 tomates en conserve hachées
1/2 feuille de laurier
1 à 2 c. à café (1 à 2 c. à thé) de pâte de tomates
2 c. à soupe (2 c. à table) de jus de tomates
1 c. à soupe (1 c. à table) d'huile
2 à 3 c. à soupe (2 à 3 c. à table) de beurre
Sel et poivre au goût

**Méthode**

- Dans une poêle chaude, faire revenir les légumes dans un peu d'huile et de beurre pendant environ 2 minutes.
- Ajouter le jus et la pâte de tomates ainsi que la feuille de laurier.
- Assaisonner.
- Laisser réduire à feu moyen pendant 2 minutes.
- Verser les oeufs battus sur les légumes.
- Cuire sans trop remuer pendant 3 à 4 minutes.
- Servir.

**Mes conseils**

- On peut préparer la garniture à l'avance et l'ajouter dans l'omelette nature aux trois quarts de la cuisson.

*Rendement: 4 portions.*

# Omelette mexicaine

**8 oeufs**
**1/2 poivron moyen en lanières**
**1 tomate moyenne fraîche en tranches**
**1/2 gousse d'ail hachée**
**200 ml (7/8 tasse) de coulis de tomates (recette p. 22)**
**2 à 4 c. à soupe (2 à 4 c. à table) de beurre**
**Sel et poivre au goût**

## Méthode

- Battre les oeufs avec l'ail haché et environ 2 c. à soupe (2 c. à table) de coulis de tomates. Assaisonner.
- Faire revenir le poivron dans le beurre pendant 2 à 3 minutes.
- Verser le mélange aux oeufs sur cette préparation.
- Remuer au début de la cuisson des oeufs.
- Laisser cuire jusqu'au degré de cuisson désiré.
- Garnir de tranches de tomate.
- Servir entouré d'un cordon de coulis de tomates.

## Mes conseils

- On pourrait garnir l'omelette de tranches de tomate avant la fin de la cuisson et terminer celle-ci au four à une température de 200 °C (400 °F).

*Rendement: 4 portions.*

# Omelette minceur

**1 oeuf**
**250 à 500 ml (1 à 2 tasses) ou moins de courgette râpée**
**1 à 2 c. à soupe (1 à 2 c. à table) de beurre**
**Sel et poivre au goût**

**Méthode**

- Saler légèrement la courgette râpée.
- La faire sauter dans un peu de beurre et d'huile.
- Laisser reposer sur un papier absorbant.
- Battre l'oeuf avec la courgette râpée.
- Assaisonner.
- Faire chauffer le beurre à feu vif et y verser le mélange.
- Cuire l'omelette pendant 1 minute environ sans y toucher.
- Quand l'omelette se détache facilement, la retourner.
- Servir quelques secondes après.

**Mes conseils**

- Bien laver la courgette et enlever les extrémités avant de la râper.
- On peut ne pas cuire la courgette avant de l'incorporer à l'oeuf.
- On peut ajouter de la marjolaine fraîche à l'appareil.
- Si on le désire on ajoutera 1 oeuf par personne.
- On peut remplacer la courgette par:
  - des olives noires hachées;
  - des épinards hachés;
  - des champignons hachés;
  - des oignons et des poivrons.

*Rendement: 1 à 2 portions.*

# Omelette multicolore

8 à 10 oeufs
1 oignon moyen haché
1 poivron haché
1 à 2 pommes de terre moyennes râpées
2 tomates hachées égouttées
1 carotte moyenne hachée
5 à 8 branches de persil frais hachées
3 c. à soupe (3 c. à table) de cresson haché
250 ml (1 tasse) d'épinards hachés
2 à 3 c. à soupe (2 à 3 c. à table) de chapelure
3 à 4 c. à soupe (3 à 4 c. à table) de beurre
3 à 6 c. à soupe (3 à 6 c. à table) de lait
Sel et poivre au goût

## Méthode

- Battre les oeufs avec le lait. Assaisonner.
- Faire revenir rapidement l'oignon, le poivron, les pommes de terre, la carotte, le cresson et les épinards dans le beurre pendant 2 à 3 minutes.
- Ajouter un peu de chapelure et brasser.
- Verser le mélange aux oeufs sur cette préparation. Remuer au début de la cuisson des oeufs.
- Vers la fin de la cuisson, déposer les tomates hachées et le persil à la surface de l'omelette.
- Servir chaud.

## Mes conseils

- S'assurer qu'il reste assez de beurre dans la poêle avant de verser les oeufs sur les légumes.

*Rendement: 6 à 8 portions.*

# Omelette nordique

**8 oeufs**
**1/2 oignon moyen haché**
**1/2 poireau moyen émincé**
**1 à 2 pommes de terre moyennes, crues, râpées**
**3 à 4 tomates en conserve, égouttées**
**2 à 3 tranches de bacon en dés**
**1 à 2 c. à soupe (1 à 2 c. à table) de beurre**
**Sel et poivre au goût**

**Méthode**

* Préchauffer le four à 150 °C (300 °F) environ.
* Faire revenir le bacon pendant 1 à 2 minutes.
* Ajouter l'oignon, le poireau et les pommes de terre, puis les tomates.
* Cuire en brassant à feu vif pendant 2 à 3 minutes.
* Battre les oeufs en incorporant le beurre en petits morceaux.
* Assaisonner.
* Verser le mélange d'oeufs dans la poêle.
* Cuire au four jusqu'à ce que les oeufs soient pris (coagulation).
* Servir.

**Mes conseils**

* Une recette de sauce simple et rapide pour accompagner cette omelette:
  - Chauffer une poêle.
  - Y verser du jus de tomates.
  - Ajouter de l'ail haché et du persil.
  - Incorporer un peu de crème double (à 35 p. 100).
  - Brasser et laisser réduire jusqu'à l'obtention de la consistance désirée.
  - Assaisonner au goût.
    (Le temps de confection: 5 à 8 minutes.)

*Rendement: 4 portions.*

# Omelette Patiala

**8 oeufs**
**1/2 carotte moyenne en tranches minces**
**6 à 8 petits bouquets de chou-fleur**
**1/2 poivron vert émincé**
**3 à 4 c. à soupe (3 à 4 c. à table) de petits pois congelés**
**2 à 3 c. à soupe (2 à 3 c. à table) de beurre**
**1 gousse d'ail hachée**
**3 c. à soupe (3 c. à table) d'oignon haché**
**1 pointe de gingembre haché ou en poudre**
**Sel et poivre au goût**

## Méthode

- Faire une pommade avec le beurre et l'ail.
- Battre les oeufs avec le gingembre. Assaisonner.
- Chauffer la poêle; y faire revenir, dans le beurre à l'ail, le chou-fleur, l'oignon, le poivron, la carotte et les petits pois pendant 2 à 4 minutes à feu moyen.
- Verser les oeufs, remuer un peu au début, puis laisser cuire jusqu'à l'obtention d'une consistance ferme.
- Servir.

## Mes conseils

- On peut ajouter des feuilles de coriandre fraîche et du curcuma si on le désire.
- On pourrait également poudrer les légumes de cari.

*Rendement: 4 portions.*

# Omelette piquante

8 oeufs
1/2 oignon moyen haché finement
1 à 2 piments forts, frais, hachés finement
1 à 2 c. à soupe (1 à 2 c. à table) de feuilles de coriandre hachées
Sel et poivre au goût
2 à 3 c. à soupe (2 à 3 c. à table) d'huile d'olive, d'huile végétale ou
    de beurre
4 tranches de pain

**Méthode**

- Mélanger ensemble les oeufs, l'oignon, les piments et la coriandre.
- Assaisonner au goût.
- Faire tremper les tranches de pain dans l'appareil aux oeufs pendant environ 2 à 3 minutes pour qu'elles soient imbibées légèrement.
- Chauffer l'huile ou le beurre dans une poêle.
- Y déposer les tranches de pain et en faire dorer rapidement les 2 faces.
- Verser le reste de préparation aux oeufs sur les tranches de pain.
- Cuire jusqu'à l'obtention d'une consistance ferme.
- Servir chaud.

**Mes conseils**

- On peut tailler les tranches de pain en dés.
- On peut remplacer les feuilles de coriandre par de l'estragon.

*Rendement: 4 portions.*

# Omelette provençale

**4 oeufs**
**4 tomates en conserve, hachées**
**1/2 gousse d'ail hachée**
**1/2 à 1 c. à café (1/2 à 1 c. à thé) de sucre**
**4 à 5 branches de persil frais hachées**
**1 à 2 c. à soupe (1 à 2 c. à table) de beurre**
**Sel et poivre au goût**

## Méthode

- Faire revenir les tomates, l'ail, le persil et le sucre à feu moyen dans un peu de beurre, pendant 3 à 5 minutes.
- Réserver.
- Mélanger les oeufs avec une fourchette et assaisonner.
- Dans une poêle, faire fondre le reste du beurre.
- Verser le mélange aux oeufs.
- Ajouter la garniture de tomates en fin de cuisson.
- Plier l'omelette et servir.

## Mes conseils

- On pourrait relever le goût de cette omelette avec des herbes de Provence.
- Accompagner ce plat de pain à l'ail grillé.

*Rendement: 2 portions.*

# Omelette San Francisco

4 oeufs légèrement battus
1/2 avocat moyen en dés
1 pointe d'ail haché
6 à 10 olives noires hachées
1 c. à soupe (1 c. à table) d'huile d'olive ou végétale
2 à 3 c. à soupe (2 à 3 c. à table) de beurre
2 à 4 c. à soupe (2 à 4 c. à table) de crème double (à 35 p. 100)
2 à 3 tomates en conserve, hachées
ou
1 tomate fraîche, en dés
Sel et poivre au goût

## Méthode

- Faire chauffer à feu moyen la moitié de l'huile et le beurre avec l'ail pendant 1 minute environ.
- Ajouter les olives et la crème.
- Laisser réduire à feu doux pendant quelques minutes.
- Incorporer les tomates et l'avocat en dés.
- Verser rapidement les oeufs battus assaisonnés sur la préparation.
- Plier l'omelette avant la fin de la cuisson.
- Dresser sur une assiette chaude.
- Servir.

## Mes conseils

- On peut terminer la cuisson au four.
- On peut faire une omelette nature (recette p. 50) et verser la garniture de légumes à la crème sur l'omelette avant de la replier.

*Rendement: 2 portions.*

# Omelette sicilienne

**4 oeufs battus**
**120 ml (1/2 tasse) d'olives noires hachées**
**3 à 4 branches de persil frais hachées**
**1/2 poivron rouge ou vert moyen en dés**
**1 pincée de basilic**
**1 à 2 c. à soupe (1 à 2 c. à table) de beurre**
**Sel et poivre au goût**
**120 ml (1/2 tasse) de sauce tomate**

## Méthode

- Faire suer les légumes dans le beurre avec le basilic pendant 1 à 2 minutes.
- Verser les oeufs sur les légumes. Assaisonner.
- Cuire jusqu'à l'obtention d'une consistance ferme.
- Servir avec la sauce tomate.

## Mes conseils

- Certains ajouteront des filets d'anchois et de l'oignon haché.
- On peut ajouter de l'ail si on le désire.
- On peut aussi faire gratiner l'omelette.

*Rendement: 2 portions.*

# Omelette suisse

**8 oeufs battus**
**4 à 6 c. à soupe (4 à 6 c. à table) de gruyère ou d'un autre fromage, au choix**
**4 à 5 branches de persil frais hachées**
**1 à 2 pincées de thym**
**Sel et poivre au goût**
**2 à 3 c. à soupe (2 à 3 c. à table) de beurre**

## Méthode

* Ajouter le fromage râpé, le persil et le thym aux oeufs battus.
* Assaisonner.
* Chauffer le beurre dans une poêle.
* Y verser le mélange.
* Cuire à feu vif en remuant la poêle et en brassant avec une fourchette au début, puis laisser cuire jusqu'à ce que l'omelette soit ferme.
* Retourner l'omelette sur un plat ou une assiette.
* Servir.

## Mes conseils

* On peut plier cette omelette.
* Il est possible d'utiliser deux sortes de fromages: un fromage à pâte molle ou un fromage à pâte ferme.

*Rendement: 4 portions.*

# Omelette verdure

**4 oeufs battus**
**2 à 3 feuilles de laitue au choix, ciselées**
**3 à 4 c. à soupe (3 à 4 c. à table) de cresson haché**
**1 à 2 c. à soupe (1 à 2 c. à table) de beurre**
**Sel et poivre au goût**
**2 à 3 c. à soupe (2 à 3 c. à table) de sauce Béchamel (recette p. 34)**

## Méthode

- Faire revenir légèrement la laitue et le cresson dans un peu de beurre pendant 1 à 2 minutes.
- Assaisonner et incorporer la sauce Béchamel.
- Réserver.
- Dans une poêle, faire fondre le reste du beurre.
- Y verser les oeufs et cuire l'omelette jusqu'à ce qu'elle soit presque prise, c'est-à-dire pendant 3 à 4 minutes.
- Poser la garniture de laitue et de cresson au centre.
- Plier l'omelette et servir.

## Mes conseils

- On peut verser les oeufs battus sur la laitue et le cresson si on le désire.
- Du poireau pourrait être ajouté à la laitue et au cresson.

*Rendement: 2 portions.*

# Pain d'omelettes superposées

10 omelettes minceur (recette p. 113)
3 à 4 c. à soupe (3 à 4 c. à table) de fromage râpé
6 à 8 branches de persil frais hachées
6 à 8 oeufs
120 à 250 ml (1/2 à 1 tasse) de crème double (à 35 p. 100)
Sel et poivre au goût
4 à 5 pincées de sariette
4 à 6 c. à soupe (4 à 6 c. à table) de beurre

**Méthode**

- Préchauffer le four à 190 °C (375 °F).
- Faire des omelettes aux garnitures différentes, tel qu'indiqué dans la recette de la p. 113, à raison de 2 par variété.
- Fouetter les oeufs en incorporant la crème et le fromage. Assaisonner et poudrer de sariette. Réserver cette crème aux oeufs.
- Beurrer généreusement le fond d'un moule à charlotte ou à soufflé de 2 litres (8 tasses) environ.
- Y placer un rond de papier ciré.
- Couvrir le fond d'un peu du mélange de crème et d'oeufs.
- Poser une omelette par-dessus et presser légèrement.
- Empiler les omelettes en alternant les garnitures et le persil et en les séparant d'un peu de crème aux oeufs.
- Bien presser le tout pour éviter la formation de bulles d'air.
- Placer le moule dans un bain-marie. (Il doit être immergé d'eau aux 2/3 de sa hauteur.)
- Couvrir d'un rond de papier ciré beurré.
- Cuire au four pendant 10 à 15 minutes.
- Sortir le moule du bain-marie.
- Laisser refroidir pendant 45 à 60 minutes.
- Retirer le papier.
- Passer la lame du couteau entre la paroi du moule et le gâteau.

- Placer une assiette sur le moule.
- Renverser avec précaution et secouer légèrement.
- Démouler.
- Décorer d'une couronne de persil ou d'olives noires coupées en rondelles.
- Servir en tranches.

**Mes conseils**

- Il serait profitable de placer une grille métallique au fond du récipient qui servira de bain-marie.

*Rendement: 12 portions.*

---

# Viandes et volaille

# Viandes et volaille

Omelette à étages
Omelette à la bolognaise
Omelette à la cervelle
Omelette à la mousse de jambon
Omelette à la reine
Omelette allemande
Omelette au jambon
Omelette aux petits rognons
Omelette belge
Omelette belle fermière
Omelette bonne-femme
Omelette Brindisi
Omelette cantonaise
Omelette des Grisons
Omelette du montagnard
Omelette espagnole
Omelette express
Omelette grand-père
Omelette hongroise
Omelette italienne
Omelette laurentienne
Omelette princesse
Omelette ronflante
Omelette savoyarde
Omelette valaisanne
Omelette western
Petit gratin d'omelettes

# Omelette à étages

**6 à 8 oeufs**
**250 ml (1 tasse) de feuilles d'épinards hachées**
**6 à 8 champignons hachés**
**1/2 oignon moyen haché**
**2 à 3 saucisses en rondelles, au choix (facultatif)**
**2 jaunes d'oeufs**
**2 blancs d'oeufs**
**1 à 3 c. à soupe (1 à 3 c. à table) de crème double (à 35 p. 100)**
**2 à 4 tranches de pain en languettes**
**2 à 3 c. à soupe (2 à 3 c. à table) de beurre**
**Sel et poivre au goût**
**1 à 3 c. à soupe (1 à 3 c. à table) de chapelure**
**Fromage râpé au goût**

## Méthode

- Laver les épinards et les champignons.
- Les égoutter.
- Mélanger les jaunes d'oeufs avec la crème.
- Faire cuire les légumes et, si désiré, les saucisses en rondelles pendant environ 3 à 5 minutes dans une poêle.
- Ajouter le mélange de jaunes d'oeufs.
- Remuer à l'aide d'une cuillère de bois.
- Lier avec une partie de la chapelure et du fromage râpé.
- Retirer du feu lorsque le mélange commence à épaissir.
- Assaisonner et réserver cette garniture.
- Faire une première omelette assez mince avec la moitié des oeufs selon la méthode de l'omelette nature (recette p. 50), sans la retourner.
- Glisser sur une assiette.
- Faire revenir les tranches de pain coupées en languettes à la poêle dans le beurre pendant 5 à 10 minutes, jusqu'à ce qu'elles soient dorées.

- Laisser reposer les languettes de pain sur un papier absorbant pour éliminer l'excédent de gras.
- Les tremper dans les blancs d'oeufs battus.
- Les disposer autour de la première omelette.
- Étaler la garniture sur la première omelette.
- Faire une deuxième omelette identique à la première.
- En recouvrir la garniture, côté crémeux à la surface.
- Poudrer de chapelure et de fromage râpé.
- Faire gratiner pendant 5 minutes environ.
- Découper en pointes. Servir.

**Mes conseils**

- La garniture pourrait être composée de fruits de mer liés à la sauce Béchamel, à la chapelure et au fromage râpé.
- Trancher les pointes là ou se rejoignent deux languettes de pain.
- On peut préparer les deux omelettes nature au début.

*Rendement: 4 portions.*

# Omelette à la bolognaise

**8 oeufs**
**1/2 oignon moyen haché**
**1/2 poivron moyen haché**
**250 ml (1 tasse) de boeuf, de veau ou de porc haché**
**120 ml (1/2 tasse) de saucisson au choix, en rondelles**
**4 à 5 tomates en conserve égouttées, hachées**
**1/2 gousse d'ail hachée**
**1 c. à soupe (1 c. à table) d'huile**
**2 à 3 c. à soupe (2 à 3 c. à table) de beurre**
**1 à 2 pincées d'origan et de basilic**
**Sel et poivre au goût**

## Méthode

- Faire revenir l'oignon, le poivron, la viande hachée, le saucisson, les tomates et l'ail dans un peu de beurre avec l'huile pendant 4 à 8 minutes à feu moyen.
- Verser les oeufs préalablement battus et assaisonnés sur cette préparation.
- Cuire pendant 5 à 7 minutes, jusqu'à l'obtention d'une consistance ferme.
- Poudrer de basilic et d'origan.
- Servir.

## Mes conseils

- Accompagner cette omelette d'un cordon de coulis de tomates (recette p. 22).

*Rendement: 4 portions.*

# Omelette à la cervelle

8 oeufs
1 cervelle de veau pochée (recette p. 30)
2 tomates hachées
10 à 12 champignons émincés
2 à 3 c. à soupe (2 à 3 c. à table) de fromage râpé, au choix
3 à 4 c. à soupe (3 à 4 c. à table) de crème double (à 35 p. 100)
2 à 3 c. à soupe (2 à 3 c. à table) de beurre
1 oignon vert haché
Sel et poivre au goût

## Méthode

- Battre les oeufs avec le fromage râpé et la crème. Assaisonner.
- Chauffer le beurre jusqu'à ce qu'il prenne une couleur noisette.
- Faire revenir l'oignon vert avec la cervelle coupée en rondelles pendant 2 à 3 minutes.
- Ajouter les champignons et les tomates.
- Verser le mélange aux oeufs sur cette préparation.
- Remuer à l'aide d'une fourchette au début de la cuisson des oeufs, puis laisser cuire jusqu'à l'obtention d'une consistance ferme.
- Servir.

## Mes conseils

- Porter une attention particulière à la cuisson de la cervelle: ne pas laisser brûler le beurre, y déposer la cervelle dès qu'il a la bonne coloration.

*Rendement: 4 portions.*

# Omelette à la mousse de jambon

**4 oeufs**
**120 ml (1/2 tasse) de jambon cuit, en cubes**
**1/2 oignon moyen haché**
**3 à 5 branches de persil frais hachées**
**2 à 3 c. à soupe (2 à 3 c. à table) de crème double (à 35 p. 100)**
**2 à 3 c. à soupe (2 à 3 c. à table) de beurre**
**1 à 2 pincées de muscade**
**Sel et poivre au goût**

**Méthode**

- À l'aide d'un mélangeur ou d'un robot culinaire, faire une mousse avec le jambon, l'oignon haché, le persil, la crème et la muscade.
- Battre les oeufs et y ajouter la mousse de jambon.
- Assaisonner.
- Faire fondre le beurre dans la poêle.
- Verser le mélange et brasser légèrement au début de la cuisson.
- Cuire jusqu'à l'obtention d'une texture ferme, c'est-à-dire pendant 4 à 6 minutes.
- Servir l'omelette en pointes.

**Mes conseils**

- On pourrait ajouter un peu de porto à la mousse de jambon.
- Un cordon de sauce Béchamel persillée serait excellent.

*Rendement: 2 portions.*

# Omelette à la reine

8 oeufs
120 ml (1/2 tasse) ou plus de poulet cuit, en dés
1/2 poivron moyen, rouge ou vert, haché
1/2 oignon moyen haché
2 c. à soupe (2 c. à table) de ciboulette (facultatif)
4 à 6 c. à soupe (4 à 6 c. à table) de lait
1 à 3 c. à soupe (1 à 3 c. à table) de farine
2 à 3 c. à soupe (2 à 3 c. à table) de beurre
1 pincée de muscade
Sel et poivre au goût

## Méthode

- Faire revenir les légumes dans un peu de beurre.
- Ajouter le poulet en dés.
- Poudrer de farine. Brasser délicatement à l'aide d'une cuillère de bois pendant 2 à 3 minutes.
- Verser le lait sur cette préparation et faire mijoter à feu moyen jusqu'à l'obtention d'une sauce assez épaisse.
- Laisser refroidir.
- Battre les oeufs en y incorporant la sauce refroidie.
- Ajouter la muscade et assaisonner.
- Cuire avec le reste du beurre en remuant quelque peu pendant 4 à 6 minutes.
- Servir immédiatement.

## Mes conseils

- On peut ajouter au mélange du fromage râpé, au choix.
- On peut présenter l'omelette sur une tranche de pain grillée, nature ou à l'ail.

*Rendement: 4 portions.*

# Omelette allemande

8 oeufs
2 saucisses de veau en petites rondelles
250 ml (1 tasse) de chou vert émincé
1/2 oignon moyen haché
4 à 5 tranches de bacon en dés
3 à 4 c. à soupe (3 à 4 c. à table) de vin blanc
1 à 2 pincées de muscade
2 c. à soupe (2 c. à table) de beurre
Sel et poivre au goût

## Méthode

* Battre les oeufs avec la muscade.
* Incorporer le beurre en petits morceaux.
* Faire revenir le bacon à feu vif pendant quelques instants.
* Ajouter l'oignon, les saucisses et le chou.
* Verser le vin sur cette préparation.
* Ajouter les oeufs assaisonnés et brasser au début de leur cuisson.
* Laisser cuire jusqu'à l'obtention d'une consistance ferme.
* Accompagner de pommes de terre bouillies.
* Servir.

## Mes conseils

* On peut parfumer la garniture avec des baies de genièvre.
* Cette omelette peut être cuite au four.
* On peut remplacer la saucisse par du jambon.

*Rendement: 4 portions.*

# Omelette au jambon

**4 oeufs**
**120 ml (1/2 tasse) de jambon cuit, en dés**
**2 à 3 c. à soupe (2 à 3 c. à table) de crème double (à 35 p. 100)**
**2 à 3 c. à soupe (2 à 3 c. à table) de persil frais haché**
**2 à 3 c. à soupe (2 à 3 c. à table) de beurre**
**Sel et poivre au goût**

## Méthode

- Battre les oeufs avec la crème et le persil. Assaisonner.
- Chauffer le beurre dans une poêle.
- Y faire revenir le jambon pendant 1 à 2 minutes.
- Verser le mélange aux oeufs sur le jambon.
- Remuer légèrement à la fourchette au début de la cuisson et laisser cuire jusqu'à ce que la texture soit à la fois ferme et moelleuse.
- Dresser sur une assiette chaude.
- Servir.

## Mes conseils

- On peut tailler le jambon en une coupe plus fine telle la brunoise.

*Rendement: 2 portions.*

# Omelette aux petits rognons

6 à 8 oeufs
2 c. à soupe (2 c. à table) d'oignon haché
1 à 2 petits rognons de veau
1 c. à soupe (1 c. à table) d'huile
1 c. à soupe (1 c. à table) de parmesan râpé
3 à 4 branches de persil frais hachées
2 à 3 c. à soupe (2 à 3 c. à table) par personne de sauce madère
(voir «Mes conseils», p. 36) (facultatif)
2 à 3 c. à soupe (2 à 3 c. à table) de beurre
Sel et poivre au goût

## Méthode

- Faire dégorger les rognons.
- Les dégraisser légèrement.
- Trancher les rognons en deux dans le sens de la longueur.
- Les badigeonner avec l'huile et les assaisonner.
- Les faire griller à la poêle sans autre gras pendant 3 à 5 minutes environ.
- Émincer les rognons.
- Battre les oeufs. Ajouter l'oignon, le persil, le parmesan et enfin les rognons émincés.
- Dans une poêle, cuire au beurre cet appareil jusqu'à ce que les oeufs soient presque pris, c'est-à-dire pendant 4 à 7 minutes.
- Plier en deux et déposer sur un plat de service.
- Napper de sauce ou disposer la sauce en cordon autour de l'omelette, si désiré.
- Servir.

## Mes conseils

- Il serait excellent d'accompagner cette omelette d'un coulis de tomates (recette p. 22).

*Rendement: 4 portions.*

# Omelette belge

**4 oeufs**
**1 à 2 endives moyennes émincées**
**120 ml (1/2 tasse) environ de jambon cuit, en lanières**
**2 à 4 branches de persil frais hachées**
**3 à 4 c. à soupe (3 à 4 c. à table) de fromage de type gruyère ou cheddar, râpé**
**2 à 5 c. à soupe (2 à 5 c. à table) de lait**
**2 à 4 c. à soupe (2 à 4 c. à table) de beurre**
**Sel et poivre au goût**

## Méthode

- Faire suer les endives et le jambon dans le beurre fondu.
- Battre les oeufs rapidement et y incorporer le lait, le fromage et le persil frais. Assaisonner.
- Verser le mélange aux oeufs dans la poêle avec le jambon et les endives.
- Remuer légèrement à la fourchette, pendant 1 minute environ, puis laisser cuire jusqu'à l'obtention d'une consistance ferme.
- Servir.

## Mes conseils

- On pourrait servir cette omelette accompagnée d'un cordon de sauce Béchamel (recette p. 34) légèrement colorée avec du paprika.

*Rendement: 2 portions.*

# Omelette belle fermière

8 oeufs
120 ml (1/2 tasse) de jambon cuit, en dés
120 à 250 ml (1/2 à 1 tasse) de julienne de légumes cuits: carotte,
  céleri, navet
2 à 4 branches de persil frais hachées
2 à 3 c. à soupe (2 à 3 c. à table) de crème double (à 35 p. 100)
  (facultatif)
2 à 3 c. à soupe (2 à 3 c. à table) de beurre
Fines herbes au choix, au goût
Sel et poivre au goût

## Méthode

• Faire revenir le jambon cuit dans le beurre, pendant 2
  minutes environ.
• Ajouter la julienne de légumes et le persil.
• Mélanger les oeufs légèrement.
• Ajouter la crème, si désiré. Assaisonner.
• Verser ce mélange sur les légumes.
• Brasser un peu, puis laisser cuire pendant 2 à 4 minutes.
• Poudrer de fines herbes.
• Servir chaud.

## Mes conseils

• On peut faire cuire la garniture de jambon et de légumes la
  veille. Cuire l'omelette et, aux trois quarts de la cuisson ordi-
  naire, ajouter la garniture et plier l'omelette.

*Rendement: 4 portions.*

# Omelette bonne-femme

8 oeufs battus
1/2 oignon moyen émincé
10 à 12 champignons frais émincés
4 à 5 tomates en conserve, hachées (sans le jus)
120 ml (1/2 tasse) environ de jambon cuit, en lanières
1/2 gousse d'ail hachée
3 à 4 c. à café (3 à 4 c. à thé) ou plus de parmesan râpé
1 pincée de basilic
2 à 3 c. à soupe (2 à 3 c. à table) de beurre
Sel et poivre au goût

## Méthode

- Faire fondre le beurre dans une poêle.
- Ajouter l'oignon, les champignons et le jambon.
- Faire revenir pendant 2 à 3 minutes.
- Ajouter les tomates.
- Assaisonner. Ajouter l'ail haché.
- Remuer avec la cuillère de bois.
- Verser les oeufs battus sur cette préparation.
- Mélanger quelque peu, puis laisser cuire pendant 6 à 8 minutes.
- Poudrer de parmesan râpé.
- Servir chaud.

## Mes conseils

- On peut faire gratiner cette omelette.
- On peut aussi utiliser des tomates fraîches.
- À la place du jambon, on peut utiliser du salami ou un autre saucisson, au choix.

*Rendement: 4 portions.*

---

# Omelette Brindisi

8 oeufs
120 ml (1/2 tasse) de saucisson émincé
6 à 10 olives noires hachées
3 à 4 c. à soupe (3 à 4 c. à table) de lait
2 à 4 c. à soupe (2 à 4 c. à table) de parmesan râpé
1/2 oignon moyen haché
2 à 3 c. à soupe (2 à 3 c. à table) de beurre
Sel et poivre au goût

## Méthode

- Battre les oeufs avec le lait, le parmesan et les olives. Assaisonner.
- Faire revenir les oignons et le saucisson dans le beurre pendant 2 à 3 minutes.
- Verser le mélange aux oeufs sur cette préparation.
- Cuire au four à 160 °C (325 °F) environ.
- Retirer du four avant que l'omelette ne soit trop ferme.
- Servir.

## Mes conseils

- On peut relever le goût de cette omelette avec de la marjolaine ou du thym.
- Cette omelette est excellente avec une sauce tomate.

*Rendement: 4 portions.*

# Omelette cantonaise

**8 oeufs**
**250 ml (1 tasse) de fèves germées**
**12 à 15 champignons émincés**
**2 oignons verts hachés**
**120 ml (1/2 tasse) environ de porc maigre émincé**
**2 à 4 c. à café (2 à 4 c. à thé) de sauce soya**
**1 c. à soupe (1 c. à table) d'huile**
**1 à 3 c. à soupe (1 à 3 c. à table) de beurre**
**1 c. à café (1 c. à thé) de fécule de maïs**
**Sel et poivre au goût**

## Méthode

- Faire chauffer le beurre avec un peu d'huile dans une poêle.
- Y faire revenir les oignons verts, les champignons et le porc émincé pendant 2 à 3 minutes, à feu vif.
- Ajouter les fèves germées, lavées et égouttées au préalable.
- Réduire le feu et continuer la cuisson à couvert pendant 1 à 2 minutes.
- Diluer la fécule de maïs dans la sauce soya.
- Verser sur les légumes et le porc.
- Remuer rapidement.
- Battre les oeufs et les assaisonner.
- Les verser dans la poêle.
- Cuire jusqu'à ce que les oeufs prennent (coagulation).
- Servir chaud.

## Mes conseils

- On pourrait cuire cette omelette au wok.
- Attention à ne pas abuser de la fécule de maïs: l'omelette deviendrait trop ferme.
- On peut remplacer la sauce soya par de la sauce tamari.

*Rendement: 4 portions.*

# Omelette des Grisons

4 oeufs battus
6 à 10 champignons émincés
1 à 2 c. à café (1 à 2 c. à thé) de ciboulette hachée
6 tranches minces de viande séchée des Grisons
1 à 3 c. à soupe (1 à 3 c. à table) de beurre
2 à 3 c. à soupe (2 à 3 c. à table) de crème double (à 35 p. 100)
Sel et poivre au goût

## Méthode

- Faire revenir les champignons et la ciboulette dans le beurre pendant 1 à 2 minutes.
- Ajouter la crème et la viande séchée émincée aux oeufs battus. Assaisonner.
- Verser dans la poêle sur les champignons et la ciboulette. Agiter avec la fourchette au début de la cuisson des oeufs.
- Cuire à feu moyen pendant 3 à 4 minutes.
- Servir chaud.

## Mes conseils

- On peut, si on le désire, placer dans l'assiette des cornichons marinés et une tranche de tomate sur une feuille de laitue.

*Rendement: 2 portions.*

# Omelette du montagnard

8 oeufs battus
1 à 2 pommes de terre moyennes cuites, en dés
120 ml (1/2 tasse) environ de jambon cuit, en dés
4 à 6 branches de persil frais hachées
1 pincée de sariette ou de thym
2 à 6 c. à soupe (2 à 6 c. à table) de fromage râpé, au choix
120 ml (1/2 tasse) de croûtons
Sel et poivre au goût
2 à 3 c. à soupe (2 à 3 c. à table) de beurre

## Méthode

- Mélanger aux oeufs tous les ingrédients sauf le beurre, les croûtons et le fromage.
- Cuire dans la poêle avec le beurre pendant 3 à 5 minutes en prenant soin de remuer au début de la cuisson.
- Ajouter les croûtons et le fromage.
- Terminer la cuisson au four à «broil», jusqu'à ce que la surface soit dorée et le fromage fondu.
- Servir.

## Mes conseils

- On peut remplacer le jambon par du bacon. On mettra alors ce dernier dans la poêle en premier, au lieu du beurre.

*Rendement: 4 portions.*

# Omelette espagnole

**8 oeufs**
**120 ml (1/2 tasse) environ de jambon cuit, haché**
**1/2 oignon moyen haché**
**1/2 poivron vert ou rouge, moyen, en dés**
**1/2 aubergine moyenne épluchée, en dés**
**1 courgette en dés**
**1 à 2 tomates moyennes en dés**
**2 à 3 c. à soupe (2 à 3 c. à table) de beurre**
**2 à 3 c. à soupe (2 à 3 c. à table) d'huile d'olive**
**Sel et poivre au goût**

## Méthode

- Faire chauffer le jambon, l'oignon et le poivron dans le beurre et l'huile à feu doux pendant 4 à 6 minutes.
- Ajouter l'aubergine et la courgette.
- Continuer la cuisson jusqu'à ce que les légumes soient tendres, c'est-à-dire pendant 3 à 5 minutes.
- Incorporer les tomates.
- Laisser le jus s'évaporer.
- Assaisonner sans trop saler.
- Battre les oeufs à l'aide d'une fourchette, puis les verser sur les légumes.
- Cuire à feu modéré pendant 2 à 4 minutes environ.
- Retourner l'omelette quand le dessous est doré.
- Faire dorer l'autre face.
- Couper l'omelette en pointes comme une tarte.
- Servir.

## Mes conseils

- On retourne l'omelette avec une spatule large si possible.
- La cuisson peut être terminée au four, si on le désire.
- Une sauce tomate ou un coulis de tomates (recette p. 22) accompagne bien cette omelette.

*Rendement: 4 portions.*

# Omelette express

**4 oeufs**
**2 à 3 tranches de bacon en dés**
**1 à 2 tranches de pain grillées**
**2 à 4 tranches de fromage, au choix**
**2 à 3 c. à soupe (2 à 3 c. à table) de crème double (à 35 p. 100)**
**Sel et poivre au goût**

## Méthode

- Battre les oeufs avec la crème. Assaisonner.
- Tailler les tranches de pain en cubes ou en lanières.
- Faire revenir le bacon dans une poêle pendant 2 à 3 minutes.
- Y verser les oeufs. Brasser un peu au début de la cuisson.
- Déposer les dés ou les lanières de pain à mi-cuisson des oeufs.
- Couvrir de tranches de fromage.
- Placer au four à «broil».
- Servir immédiatement.

## Mes conseils

- Ajouter de la ciboulette.
- On peut ne pas ajouter de pain grillé mais incorporer le fromage en lanières dans l'omelette durant la cuisson sur le feu. Dans ce cas, on n'utilisera pas le four.

*Rendement: 2 portions.*

---

# Omelette grand-père

**8 oeufs**
**3 tranches de bacon en dés**
**1 oignon vert haché**
**12 à 15 champignons émincés**
**250 ml (1 tasse) de foies de poulet**
**1 pomme de terre moyenne en tranches minces (facultatif)**
**1 pincée d'estragon**
**1 à 3 c. à café (1 à 3 c. à thé) de beurre**
**Sel et poivre au goût**

## Méthode

- Battre les oeufs avec le beurre. Assaisonner.
- Faire revenir le bacon pendant 1 à 2 minutes à feu vif.
- Ajouter l'oignon vert, les champignons, les foies de poulet et, si désiré, la pomme de terre. Poudrer d'estragon.
- Cuire pendant 3 à 4 minutes.
- Verser les oeufs sur cette préparation et remuer un peu au début de leur cuisson.
- Laisser cuire jusqu'à ce que la consistance des oeufs soit ferme.
- Servir.

## Mes conseils

- L'addition d'ail haché relève la saveur des foies de poulet.
- Un cordon de coulis de tomates (recette p. 22) accompagne bien ce plat.

*Rendement: 4 portions.*

# Omelette hongroise

**8 oeufs**
**1/2 oignon moyen émincé**
**Environ 4 tomates en conserve, hachées**
**ou**
**1 à 2 tomates fraîches, en dés**
**120 ml (1/2 tasse) de boeuf cuit, en lanières**
**1 pincée de muscade**
**1 à 3 pincées de paprika**
**Sel et poivre au goût**
**2 à 4 c. à soupe (2 à 4 c. à table) de beurre**
**6 c. à soupe (6 c. à table) de sauce hongroise (recette p. 40)**

## Méthode

- Faire revenir l'oignon, le boeuf et les tomates sans jus dans le beurre pendant 1 à 2 minutes environ.
- Ajouter la muscade, le paprika et assaisonner.
- Verser les oeufs battus sur cette préparation.
- Brasser légèrement au début de la cuisson des oeufs, puis laisser cuire pendant 3 à 5 minutes.
- Servir entouré d'un cordon de sauce hongroise.

## Mes conseils

- On peut ajouter le jus des tomates à la sauce hongroise.
- Le boeuf cuit peut provenir d'un reste d'une pièce rôtie, d'un rôti de boeuf ou même d'une pièce de boeuf braisé, par exemple.

*Rendement: 4 portions.*

# Omelette italienne

8 oeufs
2 tomates fraîches, en dés
ou
4 tomates en conserve, hachées
Croûtons au goût
120 ml (1/2 tasse) de saucisson en dés, au choix, sec de préférence
1 pincée de basilic
1 pincée d'origan
1/2 à 1 gousse d'ail hachée
3 à 6 c. à soupe (3 à 6 c. à table) de parmesan râpé
3 à 4 c. à soupe (3 à 4 c. à table) de beurre
Sel et poivre au goût

**Méthode**

- Battre les oeufs légèrement, les assaisonner et ajouter l'ail, le basilic, l'origan et le parmesan.
- Chauffer une poêle et y faire fondre le beurre.
- Faire revenir le saucisson pendant 1 à 2 minutes. Ajouter les tomates et les croûtons.
- Verser les oeufs sur cette préparation et brasser quelque peu au début de leur cuisson, puis laisser cuire pendant 3 à 4 minutes.
- Servir.

**Mes conseils**

- On pourrait remplacer le saucisson par de la saucisse de porc et de boeuf.
- L'ajout de feuilles de céleri donnerait un excellent goût à cette omelette.

*Rendement: 4 portions.*

# Omelette laurentienne

**4 oeufs**
**4 à 8 pleurotes hachés**
**3 à 5 c. à soupe (3 à 5 c. à table) de mousseline de pommes de terre**
   **(recette p. 28)**
**120 ml (1/2 tasse) de jambon cuit, en dés**
**3 à 5 branches de persil frais hachées**
**1/2 gousse d'ail hachée**
**2 à 3 c. à soupe (2 à 3 c. à table) de beurre**
**Sel et poivre au goût**

**Méthode**

* Mélanger la mousseline de pommes de terre avec le jambon, le persil et l'ail.
* Battre les oeufs. Assaisonner.
* Incorporer l'appareil de pommes de terre aux oeufs.
* Faire revenir les pleurotes dans le beurre pendant 2 à 3 minutes.
* Verser le mélange aux oeufs et cuire jusqu'à l'obtention d'une consistance ferme.
* Servir.

**Mes conseils**

* Dès que les oeufs commencent à se coaguler, brasser un peu avec une fourchette, puis laisser cuire.
* On peut ajouter de la crème double (à 35 p. 100) ou du lait à l'appareil.

*Rendement: 2 portions.*

# Omelette princesse

**8 oeufs**
**120 ml (1/2 tasse) environ de poulet cuit, en dés**
**1 poivron rouge ou vert, haché ou émincé**
**3 à 4 branches de persil frais hachées**
**Estragon frais ou séché, au goût**
**3 à 4 c. à soupe (3 à 4 c. à table) de beurre**
**Sel et poivre au goût**
**2 à 4 c. à soupe (2 à 4 c. à table) de sauce veloutée (recette p. 42)**

**Méthode**

- Battre les oeufs légèrement. Assaisonner.
- Ajouter le persil et l'estragon.
- Faire revenir le poivron et les dés de poulet pendant 2 à 3 minutes dans le beurre.
- Verser les oeufs battus sur cette préparation. Incorporer la sauce veloutée tout en remuant.
- Laisser cuire sans brasser pendant 3 à 4 minutes.
- Servir chaud.

**Mes conseils**

- On peut utiliser de la dinde ou toute autre volaille.
- On peut faire gratiner l'omelette si on le désire.

*Rendement: 4 portions.*

# Omelette ronflante

**6 oeufs**
**1 à 3 c. à café (1 à 3 c. à thé) de farine**
**1 pincée de sel**
**3 à 4 c. à soupe (3 à 4 c. à table) d'eau froide**
**120 ml (1/2 tasse) de poulet cuit, en dés**
**3 à 4 c. à soupe (3 à 4 c. à table) de jambon cuit, en dés**
**1/2 poivron moyen en lanières**
**120 ml (1/2 tasse) de haricots verts cuits, coupés**
**4 à 6 olives noires hachées**
**2 à 3 c. à soupe (2 à 3 c. à table) de beurre**

## Méthode

- Faire revenir dans un peu de beurre le poivron, les haricots, le jambon, le poulet et les olives noires pendant 2 à 4 minutes. Laisser refroidir.
- Séparer les blancs des jaunes d'oeufs.
- Battre les jaunes avec un peu de sel.
- Incorporer l'eau et la farine.
- Monter les blancs en neige et les ajouter aux jaunes.
- Chauffer le reste du beurre dans une poêle profonde, y verser le mélange.
- Déposer délicatement la garniture sur l'omelette.
- Cuire pendant 10 à 20 minutes au four à 150 °C (300 °F) environ.
- Servir.

## Mes conseils

- Ne pas ouvrir le four pendant la cuisson; le courant d'air ferait baisser l'omelette.

*Rendement: 3 à 4 portions.*

# Omelette savoyarde

4 oeufs
1/2 à 1 pomme de terre moyenne cuite, en tranches
2 à 3 c. à soupe (2 à 3 c. à table) de fromage râpé, au choix
2 à 4 branches de persil frais hachées
2 saucisses de porc ou de boeuf
2 à 3 c. à soupe (2 à 3 c. à table) de lait
1 à 2 pincées de romarin
2 à 3 c. à soupe (2 à 3 c. à table) de beurre
Sel et poivre au goût
1 c. à soupe (1 c. à table) d'huile

## Méthode

- Faire cuire les saucisses à la poêle dans l'huile.
- Les laisser refroidir sur un papier absorbant pour éliminer l'excédent de gras.
- Les couper en fines lamelles.
- Battre les oeufs en incorporant le lait, les saucisses, le persil et le romarin. Assaisonner.
- Faire chauffer le beurre dans une poêle.
- Y verser le mélange aux oeufs. Remuer légèrement au début de la cuisson des oeufs.
- Vers la fin de la cuisson, couvrir de tranches de pomme de terre.
- Poudrer de fromage.
- Terminer la cuisson au four à «broil».
- Servir en pointes.

## Mes conseils

- Accompagner cette omelette de marinades au choix.
- Si on n'a pas de saucisses, on peut utiliser une autre viande: le jambon, par exemple.

*Rendement: 2 portions.*

# Omelette valaisanne

**4 oeufs**
**1 pomme de terre moyenne**
**6 à 8 tranches minces de viande séchée des Grisons**
**1 à 2 c. à soupe (1 à 2 c. à table) d'huile d'olive ou végétale**
**Sel et poivre au goût**

## Méthode

- Éplucher et râper la pomme de terre.
- Émincer les tranches de viande séchée des Grisons.
- Battre les oeufs et les assaisonner.
- Ajouter les pommes de terre et la viande.
- Dans une poêle à fond épais, faire cuire cette préparation à l'huile à feu doux pendant environ 5 minutes.
- Retirer du feu, couvrir la poêle d'une assiette.
- Retourner l'omelette et la glisser à nouveau dans la poêle.
- Cuire l'autre face pendant 5 minutes environ.
- Servir.

## Mes conseils

- On pourrait ajouter de l'oignon haché, cuit.
- Un peu de muscade relèverait bien le goût de cette omelette.

*Rendement: 2 portions.*

# Omelette western

**4 oeufs**
**1/2 oignon moyen émincé**
**1/2 poivron moyen en julienne (facultatif)**
**120 ml (1/2 tasse) de jambon cuit, en dés**
**3 à 4 branches de persil frais hachées**
**2 à 3 c. à soupe (2 à 3 c. à table) de beurre**
**Sel et poivre au goût**

## Méthode

- Battre les oeufs avec le persil. Assaisonner.
- Faire revenir les légumes et le jambon dans le beurre pendant 2 à 3 minutes.
- Verser les oeufs sur cette préparation. Remuer un peu à l'aide de la fourchette au début de la cuisson.
- Laisser cuire pendant 3 à 5 minutes.
- Servir l'omelette pliée ou plate.

## Mes conseils

- On peut relever la saveur de cette omelette en ajoutant du thym ou d'autres fines herbes, au goût.
- Dans la préparation d'oeufs battus, on peut ajouter un fromage râpé de son choix.

*Rendement: 2 portions.*

# Petit gratin d'omelettes

3 à 4 omelettes minceur (recette p. 113)
3 à 4 c. à soupe (3 à 4 c. à table) de fromage râpé, au choix
120 ml (1/2 tasse) environ de sauce tomate
1/2 à 1 poivron moyen en julienne
3 à 4 tranches minces de jambon cuit (facultatif)
1 à 2 pincées d'origan
2 c. à soupe (2 c. à table) de beurre
Sel et poivre au goût

## Méthode

- Préchauffer le four à 190 °C (375 °F).
- Faire revenir le poivron dans un peu de beurre.
- Ajouter l'origan. Assaisonner et réserver.
- Beurrer un plat allant au four.
- Poudrer le fond d'un peu de fromage.
- Y disposer les omelettes en les faisant se chevaucher.
- Couvrir de tranches de jambon, si désiré.
- Poser les morceaux de poivron sur chaque portion.
- Verser la sauce tomate à la cuillère à la surface.
- Ajouter le reste du fromage.
- Placer au four pendant 10 à 15 minutes environ.
- Terminer la cuisson à «broil» jusqu'à ce que la surface soit bien dorée.
- Servir.

## Mes conseils

- On peut utiliser des omelettes nature (recette p. 50) avec des restes de poulet ou de poisson par exemple.
- On peut utiliser une sauce Béchamel (recette p. 34) à la place d'une sauce tomate.

*Rendement: 4 portions.*

# Poissons et fruits de mer

# Poissons et fruits de mer

Omelette à la chair de crabe
Omelette au homard
Omelette aux crevettes nordiques
Omelette bourguignonne
Omelette de Pékin
Omelette des bois
Omelette finlandaise
Omelette finnoise
Omelette Newburg
Omelette océanique

# Omelette à la chair de crabe

8 oeufs
120 à 250 ml (1/2 à 1 tasse) de chair de crabe
12 à 15 champignons émincés
1 oignon nouveau haché
2 à 4 c. à soupe (2 à 4 c. à table) de beurre
Sel et poivre au goût

**Méthode**

- Faire revenir les légumes et la chair de crabe dans le beurre.
- Battre les oeufs. Assaisonner.
- Verser les oeufs battus sur la chair de crabe.
- Remuer un peu, puis laisser cuire pendant 4 à 6 minutes.
- Plier l'omelette ou la diviser en pointes.
- Servir.

**Mes conseils**

- On pourrait mélanger tous les ingrédients ensemble et faire cuire par la suite.

*Rendement: 4 portions.*

# Omelette au homard

1 grande ou 2 petites omelettes nature (recette p. 50)
3 à 4 branches de fenouil frais
120 ml (1/2 tasse) de chair de homard hachée
3 à 4 branches de persil frais hachées
3 à 4 c. à soupe (3 à 4 c. à table) de bisque de homard
6 à 8 champignons hachés
4 à 6 olives noires
1 à 3 c. à soupe (1 à 3 c. à table) de beurre
Sel et poivre au goût

## Méthode

- Faire revenir doucement la chair de homard, les champignons et le persil dans le beurre pendant 2 à 3 minutes.
- Assaisonner.
- Lier avec un peu de bisque. Réserver au chaud.
- Confectionner l'omelette ou les omelettes si vous les présentez en portions individuelles.
- Fourrer l'omelette (ou les omelettes) de la garniture de homard et replier.
- Décorer de branches de fenouil et d'olives noires.
- Servir entouré d'un cordon de bisque.

## Mes conseils

- Si l'on utilise une bisque concentrée, ne pas oublier d'y ajouter un peu de crème double (à 35 p. 100).
- Si l'on utilise du homard frais, on peut décorer l'omelette avec les pinces de homard décortiquées.

*Rendement: 2 portions.*

# Omelette aux crevettes nordiques

**4 oeufs**
**6 à 8 champignons émincés**
**3 c. à soupe (3 c. à table) de blanc de poireau haché finement**
**12 à 20 crevettes nordiques égouttées**
**1/2 à 1 c. à café (1/2 à 1 c. à thé) de vin blanc**
**1 à 2 quartiers de citron**
**1 à 2 c. à soupe (1 à 2 c. à table) de beurre**
**Sel et poivre au goût**

## Méthode

- Faire revenir le poireau et les champignons dans un peu de beurre.
- Ajouter les crevettes. Citronner légèrement.
- Parfumer au vin blanc. Réserver.
- Cuire les oeufs battus et assaisonnés dans une poêle avec le reste de beurre pendant 2 à 4 minutes.
- Aux trois quarts de la cuisson, ajouter la garniture de crevettes.
- Plier l'omelette et servir chaud.

## Mes conseils

- On peut décorer la surface de l'omelette de quelques crevettes.
- Un coulis de tomates (recette p. 22) relevé d'estragon accompagnerait bien ce plat.

*Rendement: 2 portions.*

# Omelette bourguignonne

4 oeufs
1/2 gousse d'échalote sèche hachée
2 c. à café (2 c. à thé) environ d'amandes hachées
1/2 gousse d'ail hachée
3 à 4 branches de persil frais hachées
1 à 2 c. à soupe (1 à 2 c. à table) de chapelure fine
12 à 24 escargots égouttés
1/2 à 1 c. à café (1/2 à 1 c. à thé) de moutarde de Dijon
1 c. à café (1 c. à thé) de cognac ou de brandy
Muscade au goût (facultatif)
1 à 2 c. à soupe (1 à 2 c. à table) de beurre
Sel et poivre au goût

## Méthode

- Dans une poêle, faire blondir le beurre.
- Ajouter l'échalote, l'ail, le persil, les amandes et les escargots.
- Bien mélanger ensemble. Incorporer la moutarde.
- Poudrer de chapelure.
- Ajouter le cognac ou le brandy.
- Verser les oeufs battus et assaisonnés sur la première préparation.
- Remuer légèrement au début de la cuisson des oeufs, puis laisser cuire pendant 5 à 8 minutes.
- Plier l'omelette en la faisant glisser dans la poêle.
- Servir.

## Mes conseils

- Cette omelette est délicieuse avec une sauce tomate.
- On pourrait préparer des omelettes individuelles pas trop cuites quelque temps avant le service.

*Rendement: 2 portions.*

# Omelette de Pékin

**8 oeufs**
**1 gousse d'ail hachée**
**15 à 20 crevettes nordiques**
**1 oignon vert haché**
**15 à 20 champignons émincés**
**250 ml (1 tasse) de chou chinois émincé**
**1 à 3 c. à café (1 à 3 c. à thé) de sauce soya**
**1 c. à soupe (1 c. à table) d'huile**
**2 à 3 c. à soupe (2 à 3 c. à table) de beurre**
**Sel et poivre au goût**

## Méthode

- Battre les oeufs et les assaisonner.
- Ajouter la sauce soya.
- Dans un wok ou une poêle, faire fondre le beurre avec l'huile.
- Y faire revenir l'ail, l'oignon, les champignons, le chou et les crevettes à feu vif pendant 2 à 3 minutes.
- Verser le mélange aux oeufs et remuer quelque peu au début de la cuisson, puis laisser cuire sans brasser jusqu'à ce que l'omelette soit prise.
- Servir chaud.

## Mes conseils

- On peut ajouter, en plus des crevettes, du homard ou de la chair de crabe.

*Rendement: 4 portions.*

# Omelette des bois

**4 oeufs**
**12 escargots**
**4 à 8 pleurotes hachés**
**1/2 gousse d'ail hachée**
**3 à 4 branches de persil frais hachées**
**1 à 2 c. à café (1 à 2 c. à thé) de vin blanc sec**
**2 à 3 c. à soupe (2 à 3 c. à table) de crème double (à 35 p. 100)**
**2 à 3 c. à soupe (2 à 3 c. à table) de beurre**
**Sel et poivre au goût**

## Méthode

- Préchauffer le four à 180 °C (350 °F).
- Battre les oeufs avec la crème. Assaisonner.
- Faire revenir les escargots, les pleurotes, l'ail et le persil dans le beurre pendant 2 minutes environ à feu vif.
- Déglacer avec le vin blanc.
- Verser le mélange d'oeufs sur cette préparation.
- Brasser légèrement pendant 1 à 2 minutes.
- Terminer la cuisson au four.
- Servir immédiatement.

## Mes conseils

- Si on ne peut pas se procurer de pleurotes, on peut utiliser des champignons dits «de Paris» comme on en trouve dans tous les supermarchés.

*Rendement: 2 portions.*

# Omelette finlandaise

4 oeufs
250 ml (1 tasse) de feuilles d'épinards ou de betteraves
2 à 3 c. à café (2 à 3 c. à thé) de ciboulette hachée
1 à 2 feuilles de menthe hachées
1 branche de fenouil frais hachée
1/2 gousse d'échalote sèche hachée
1 à 2 c. à soupe (1 à 2 c. à table) de saumon fumé haché
1 à 2 c. à café (1 à 2 c. à thé) d'huile
1 à 2 c. à soupe (1 à 2 c. à table) de beurre
2 à 4 branches de persil frais hachées
Sel et poivre au goût

## Méthode

- Nettoyer les feuilles d'épinards ou de betteraves et les hacher.
- Égoutter, ajouter la ciboulette et la menthe et assaisonner.
- Battre les oeufs avec cette préparation.
- Ajouter le persil, le fenouil, l'échalote et le saumon fumé.
- Cuire l'omelette dans le beurre avec un peu d'huile en remuant un peu au début, puis laisser cuire pendant 4 à 6 minutes.
- Servir.

## Mes conseils

- On peut accompagner cette omelette de crème sure dans laquelle on ajoute du simili bacon émietté.

*Rendement: 2 portions.*

# Omelette finnoise

4 oeufs
2 à 3 c. à soupe (2 à 3 c. à table) de saumon fumé, haché finement
2 à 3 c. à soupe (2 à 3 c. à table) de fenouil frais haché
2 à 3 branches de persil frais hachées
2 à 3 c. à soupe (2 à 3 c. à table) de fromage à la crème
2 à 3 c. à soupe (2 à 3 c. à table) de beurre
Sel et poivre au goût

## Méthode

- Blanchir le fenouil pendant 3 à 5 minutes.
- Battre les oeufs avec le saumon fumé, le persil, le fenouil et le fromage à la crème en petits morceaux.
- Assaisonner.
- Cuire l'omelette au beurre dans une poêle en remuant à l'aide d'une fourchette au début de la cuisson.
- Continuer la cuisson jusqu'à ce que l'omelette soit ferme.
- Servir.

## Mes conseils

- Décorer avec des branches de fenouil frais.
- Ajouter des câpres, si désiré.

*Rendement: 2 portions.*

# Omelette Newburg

4 oeufs battus
10 à 15 crevettes nordiques
120 ml (1/2 tasse) de chair de crabe ou de chair de homard
6 pétoncles moyens égouttés
6 à 8 champignons émincés
2 c. à café (2 c. à thé) de ciboulette hachée
2 à 4 c. à café (2 à 4 c. à thé) de farine
3 à 6 c. à soupe (3 à 6 c. à table) de lait
1 à 2 c. à café (1 à 2 c. à thé) de sherry
3 à 5 c. à soupe (3 à 5 c. à table) de beurre
1 à 3 pincées de paprika
Sel et poivre au goût

## Méthode

- Faire revenir la ciboulette et les champignons dans un peu de beurre.
- Ajouter les fruits de mer et cuire pendant 3 à 5 minutes à feu moyen, en remuant légèrement.
- Déglacer au sherry.
- Saupoudrer de farine et mélanger pour éviter la formation de grumeaux.
- Verser le lait sur cette préparation. Assaisonner et colorer la sauce avec le paprika.
- Laisser mijoter jusqu'à l'obtention d'une sauce très épaisse.
- Réserver.
- Faire fondre le reste du beurre.
- Y faire cuire les oeufs battus et assaisonnés pendant 3 à 6 minutes à feu moyen, en remuant à l'aide d'une fourchette au début de la cuisson.
- Ajouter l'appareil aux fruits de mer.
- Plier l'omelette et servir chaud.

**Mes conseils**

- On peut décorer l'omelette en y déposant une ou deux pinces de crabe des neiges.
- On peut remplacer la chair de crabe par du goberge imitant le crabe.

*Rendement: 2 portions.*

---

# Omelette océanique

**12 oeufs**
**1 à 2 douzaines d'huîtres fraîches**
**4 à 6 branches de persil frais hachées**
**1 oignon moyen haché**
**1 à 3 c. à café (1 à 3 c. à thé) de jus d'huîtres**
**12 à 15 croûtons**
**2 à 4 c. à soupe (2 à 4 c. à table) de crème double (à 35 p. 100)**
**2 à 4 c. à soupe (2 à 4 c. à table) de beurre**
**Sel et poivre au goût**

## Méthode

- Faire chauffer de l'eau, puis y laisser frémir les huîtres jusqu'à ce que la chair des mollusques commence à blanchir. Retirer du feu et égoutter.
- Battre rapidement les oeufs avec la crème, le persil et le jus d'huîtres.
- Assaisonner.
- Faire fondre le beurre dans une poêle à feu vif.
- Y verser le mélange d'oeufs. Remuer un peu.
- Ajouter les huîtres et les croûtons.
- Poursuivre la cuisson jusqu'à ce que l'omelette soit ferme.
- Plier l'omelette.
- Servir très chaud.

## Mes conseils

- On peut remplacer les huîtres par des moules ou d'autres mollusques bivalves.

*Rendement: 6 portions.*

# Au dessert

# Au dessert

Omelette à la confiture
Omelette à l'orange et au kiwi
Omelette au calvados
Omelette aux pêches
Omelette aux pommes
Omelette Beyrouth
Omelette douceur
Omelette du Sahara
Omelette granola
Omelette hawaïenne
Omelette soufflée au Grand Marnier
Omelette sucrée Vernet
Omelette surprise

# Omelette à la confiture

4 oeufs
1 pincée de sel
1/2 à 1 c. à café (1/2 à 1 c. à thé) de sucre
1 c. à café (1 c. à thé) de sucre à glacer
2 à 3 c. à soupe (2 à 3 c. à table) de crème double (à 35 p. 100)
1 à 3 c. à soupe (1 à 3 c. à table) de confiture, au choix
1 à 2 c. à soupe (1 à 2 c. à table) de beurre

**Méthode**

- Fouetter la crème.
- Battre les oeufs avec le sel, le sucre et la crème fouettée.
- Faire chauffer le beurre dans une poêle, puis y faire cuire le mélange aux oeufs.
- À l'aide d'une cuillère à soupe (cuillère à table), garnir le centre de l'omelette d'une longue ligne de confiture, dans le sens où on la repliera.
- Glisser la moitié de l'omelette sur un plat et replier.
- Poudrer de sucre à glacer.
- Passer l'omelette pendant quelques instants au four à «broil» jusqu'à ce que la surface soit bien dorée.
- Servir.

**Mes conseils**

- En appliquant à la surface de l'omelette une tige de fer très chaude, on peut tracer un quadrillage caramélisé grâce au sucre à glacer.
- Il serait préférable d'utiliser du beurre sans sel.

*Rendement: 2 portions.*

# Omelette à l'orange et au kiwi

4 oeufs
1 pincée de sel
1 c. à café (1 c. à thé) de sucre
1 kiwi moyen pelé et haché
1 orange moyenne en quartiers
2 c. à café (2 c. à thé) de zeste d'orange blanchi
120 ml (1/2 tasse) de coulis de fruits (recette p. 21)
2 à 4 c. à soupe (2 à 4 c. à table) de crème double (à 35 p. 100)
1 à 2 c. à soupe (1 à 2 c. à table) de beurre

## Méthode

- Fouetter la crème.
- Battre les oeufs avec le sel, le sucre, le kiwi et le zeste d'orange.
- Incorporer doucement la crème fouettée.
- Faire chauffer le beurre dans une poêle, puis y faire cuire le mélange aux oeufs.
- Vers la fin de la cuisson, disposer les quartiers d'orange en éventail sur l'omelette.
- Napper légèrement de coulis de fruits.
- Passer au four à «broil».
- Servir avec du coulis dans le fond de l'assiette.

## Mes conseils

- Le coulis de framboises se marie bien avec le goût de cette omelette.

*Rendement: 2 portions.*

# Omelette au calvados

6 oeufs
2 pommes
1 à 2 pincées de muscade
1/2 c. à café (1/2 c. à thé) de sucre à glacer
2 à 3 c. à soupe (2 à 3 c. à table) de crème double (à 35 p. 100)
2 à 3 c. à soupe (2 à 3 c. à table) de calvados
1 à 2 c. à soupe (1 à 2 c. à table) de beurre
1 pincée de sel

## Méthode

- Battre les oeufs avec le sel.
- Éplucher les pommes et les couper en petits dés. Poudrer de muscade.
- Faire revenir les dés de pommes légèrement à la poêle avec un peu de beurre. Refroidir.
- Monter la crème avec le sucre à glacer.
- Incorporer doucement les dés de pomme.
- Ajouter cette préparation aux oeufs.
- Cuire à la poêle avec le reste du beurre.
- Remuer quelque peu à l'aide d'une fourchette au début de la cuisson.
- Dresser l'omelette à plat ou pliée sur une assiette de service.
- Poudrer de sucre à glacer.
- Tracer un quadrillage caramélisé comme celui de l'omelette à la confiture (voir «Mes conseils», p. 171).
- Chauffer le calvados dans une louche, le faire flamber et le verser immédiatement sur l'omelette.
- Servir.

## Mes conseils

- On peut utiliser d'autres alcools ou liqueurs: rhum, kirsch, fine champagne, armagnac, mirabelle, eau-de-vie de framboise, Grand Marnier, Cointreau, Pernod, etc.

*Rendement: 2 à 3 portions.*

# Omelette aux pêches

4 oeufs
1 1/2 pêche en conserve ou fraîche
1/2 à 1 c. à café (1/2 à 1 c. à thé) de sucre
1 à 2 c. à soupe (1 à 2 c. à table) de beurre
1 à 2 pincées de muscade
3 c. à soupe (3 c. à table) de crème double (à 35 p. 100)
3 c. à soupe (3 c. à table) de noix de coco râpée
1 à 2 c. à café (1 à 2 c. à thé) de sirop de grenadine

## Méthode

- Fouetter la crème.
- Bien éponger la pêche. La tailler en petits quartiers.
- Battre les oeufs.
- Incorporer la crème fouettée, les quartiers de pêche, la noix de coco et le sucre.
- Poudrer de muscade.
- Cuire ce mélange dans une poêle avec le beurre.
- Lorsque les oeufs sont presque fermes, verser délicatement le sirop de grenadine sur l'omelette.
- Passer au four à «broil» pendant quelques secondes.
- Servir.

## Mes conseils

- On peut poudrer de noix de coco râpée la surface de l'omelette si on le désire.

*Rendement: 2 portions.*

# Omelette aux pommes

**8 oeufs battus**
**1 à 3 c. à soupe (1 à 3 c. à table) de beurre**
**2 à 3 pommes épluchées et émincées**
**2 à 3 pincées d'épices mélangées**
**1 à 2 c. à café (1 à 2 c. à thé) de poudre de noisette (facultatif)**
**2 c. à café (2 c. à thé) de cassonade**
**3 c. à soupe (3 c. à table) de crème double (à 35 p. 100)**

## Méthode

- Faire fondre une partie du beurre dans une poêle.
- Ajouter les pommes émincées, les épices et la poudre de noisette, si désiré.
- Faire cuire à feu doux pendant 3 à 5 minutes jusqu'à ce que les pommes soient légèrement tendres.
- Refroidir.
- Mélanger ensemble les oeufs et la crème.
- Incorporer les pommes cuites.
- Cuire l'omelette à feu modéré dans le reste du beurre pendant 4 à 6 minutes, jusqu'à ce que le dessous commence à devenir doré.
- Poudrer de cassonade.
- Terminer la cuisson au four à «broil» pendant quelques secondes.
- Servir.

## Mes conseils

- Un coulis de fruits (recette p. 21) accompagne bien cette omelette.

*Rendement: 4 portions.*

# Omelette Beyrouth

**10 à 12 oeufs**
**250 ml (1 tasse) de pistaches mondées**
**120 ml (1/2 tasse) de zestes d'orange et de citron**
**1 à 3 pincées de sel**
**3 à 4 c. à soupe (3 à 4 c. à table) de beurre**

## Méthode

• Blanchir les zestes de fruits à l'eau bouillante. Égoutter.
• Broyer les pistaches avec les zestes.
• Mélanger cette préparation avec les oeufs.
• Ajouter le sel.
• Cuire cet appareil dans le beurre à feu moyen pendant 3 à 5 minutes jusqu'à ce que les oeufs prennent (coagulation).
• Plier l'omelette et servir.

## Mes conseils

• Accompagner cette omelette de coulis de fruits (recette p. 21).

*Rendement: 6 portions.*

# Omelette douceur

**2 à 3 oeufs**
**1 à 2 c. à café (1 à 2 c. à thé) de beurre**
**1 pincée de sel**
**1 c. à café (1 c. à thé) environ de sucre**
**2 à 3 c. à soupe (2 à 3 c. à table) ou plus de lait**
**Muscade au goût**
**1 à 2 c. à café (1 à 2 c. à thé) de poudre de noisette**

## Méthode

- Battre les oeufs avec le sel, le sucre, la muscade, la poudre de noisette et le lait, à l'aide d'une fourchette.
- Chauffer le beurre dans une poêle.
- Faire, une à une, des omelettes très minces.
- Rouler et servir.

## Mes conseils

- Excellent pour le brunch ou le petit déjeuner.
- On accompagne cette omelette de sirop d'érable ou de confitures au choix.

*Rendement: 3 à 4 portions.*

# Omelette du Sahara

4 oeufs
2 à 3 figues hachées
2 à 3 dattes hachées
120 ml (1/2 tasse) environ d'eau
2 à 3 c. à soupe (2 à 3 c. à table) de jus de citron
1 à 2 c. à soupe (1 à 2 c. à table) de beurre
1 à 2 c. à soupe (1 à 2 c. à table) de sucre
2 à 3 c. à soupe (2 à 3 c. à table) de crème double (à 35 p. 100)
1 à 2 pincées de muscade

## Méthode

- Fouetter la crème.
- Faire cuire les fruits hachés dans l'eau citronnée pendant 4 à 5 minutes à feu doux. Refroidir, puis réduire en purée.
- Battre les oeufs avec le sucre.
- Ajouter les fruits en purée, la muscade et la crème fouettée.
- Cuire l'omelette au beurre dans une poêle.
- La servir repliée ou non.

## Mes conseils

- On peut ajouter des pistaches dans le mélange.

*Rendement: 2 portions.*

# Omelette granola

**4 oeufs**
**1 c. à café (1 c. à thé) de raisins Sultana**
**120 ml (1/2 tasse) de banane en tranches**
**1 pomme en dés**
**1 à 2 c. à soupe (1 à 2 c. à table) de flocons d'avoine**
**1 c. à café (1 c. à thé) de sucre**
**1 à 3 c. à soupe (1 à 3 c. à table) de beurre**
**2 à 3 c. à soupe (2 à 3 c. à table) de lait**
**1/4 c. à café (1/4 c. à thé) de vanille**
**1 pincée de muscade**
**1 pincée de cannelle**
**120 ml (1/2 tasse) de coulis de fruits (recette p. 21)**

## Méthode

- Faire chauffer un peu de beurre dans la poêle.
- Faire cuire légèrement les fruits pendant 2 à 3 minutes.
- Laisser refroidir.
- Battre les oeufs avec le lait, la vanille, les flocons d'avoine et le sucre.
- Poudrer de muscade et de cannelle.
- Faire cuire ce mélange dans le reste du beurre.
- Vers la fin de la cuisson, placer la garniture de fruits au centre de l'omelette et replier.
- Servir avec un coulis de fruits.

## Mes conseils

- On pourrait préparer ces omelettes d'avance et les faire réchauffer au four à micro-ondes pour le petit déjeuner.

*Rendement: 2 portions.*

# Omelette hawaïenne

**1 omelette sucrée Vernet (recette p. 182)**
**3 tranches d'ananas frais ou en conserve, en dés**
**3 à 4 c. à soupe (3 à 4 c. à table) de confiture d'abricots ou au choix**
**1 à 3 c. à café (1 à 3 c. à thé) de rhum brun ou blanc**
**1 à 2 c. à soupe (1 à 2 c. à table) de beurre**
**1 à 2 c. à café (1 à 2 c. à thé) de sucre à glacer**

## Méthode

- Couper l'ananas en dés.
- Dans une petite poêle, faire chauffer le beurre, ajouter la confiture avec un peu d'eau et incorporer les dés d'ananas. Cuire doucement pendant environ 10 minutes.
- Parfumer au rhum.
- Fourrer l'omelette Vernet de cette garniture.
- Poudrer de sucre à glacer.
- Passer au four à «broil» jusqu'à ce que la surface soit dorée.
- Servir.

## Mes conseils

- Garder un peu de confiture chaude pour en napper l'omelette.

*Rendement: 3 à 4 portions.*

# Omelette soufflée au Grand Marnier

4 jaunes d'oeufs
6 blancs d'oeufs
5 c. à soupe (5 c. à table) de sucre
Zeste d'une demi-orange
1/4 c. à café (1/4 c. à thé) de vanille
1 à 2 c. à café (1 à 2 c. à thé) de Grand Marnier
1 à 2 c. à soupe (1 à 2 c. à table) de beurre
2 à 3 c. à café (2 à 3 c. à thé) de sucre à glacer

**Méthode**

- Battre les jaunes d'oeufs avec le sucre pendant 5 à 10 minutes.
- Ajouter le zeste d'orange, la vanille et le Grand Marnier.
- Monter les blancs d'oeufs en neige.
- Les incorporer délicatement aux jaunes à l'aide d'une spatule ou d'une cuillère jusqu'à l'obtention d'un mélange homogène.
- Beurrer un plat ou un moule, ovale de préférence.
- Le remplir à la spatule ou à la cuillère en formant un monticule ovale.
- Rendre la surface lisse à l'aide de la spatule.
- Faire une petite ouverture au centre pour permettre à la chaleur de pénétrer.
- Cuire au four à 150 °C (300 °F) pendant 15 à 20 minutes.
- Poudrer de sucre à glacer.
- Servir immédiatement.

**Mes conseils**

- Ne pas laisser l'appareil perdre trop de son volume avant de le mettre au four.
- La coloration finale doit être café pâle.

*Rendement: 2 à 3 portions.*

# Omelette sucrée Vernet

**6 oeufs**
**3 c. à café (3 c. à thé) de sucre à glacer**
**2 à 4 c. à soupe (2 à 4 c. à table) de crème double (à 35 p. 100)**
**1 à 2 c. à café (1 à 2 c. à thé) de beurre**
**1 pincée de sel**

## Méthode

- Battre modérément les oeufs avec le sel.
- Fouetter la crème avec 1 c. à café (1 c. à thé) de sucre à glacer.
- Incorporer la crème fouettée aux oeufs.
- Cuire ce mélange à la poêle dans le beurre pendant 4 à 8 minutes.
- Renverser l'omelette sur un plat chaud.
- Poudrer de sucre à glacer.
- Appliquer rapidement une tige de fer (tige à brochette par exemple) presque rougie par le feu pour tracer un quadrillage caramélisé à la surface, dans le sucre à glacer.
- Servir.

## Mes conseils

- On peut accompagner cette omelette d'un coulis de fruits (recette p. 21).
- Pour économiser, on peut remplacer la crème par 2 à 3 c. à soupe (2 à 3 c. à table) de lait bouilli.

*Rendement: 3 portions.*

---

# Omelette surprise

6 jaunes d'oeufs
8 blancs d'oeufs
250 ml (1 tasse) de sucre
3 à 4 c. à café (3 à 4 c. à thé) de sucre à glacer
1/2 c. à café (1/2 c. à thé) de vanille
Zeste d'un demi-citron
Gâteau blanc éponge ou génoise*
550 ml (2 1/4 tasses) de crème glacée, au choix
250 à 500 ml (1 à 2 tasses) de salade de fruits égouttée
3 à 4 c. à soupe (3 à 4 c. à table) de fruits confits (facultatif)
Grand Marnier ou autre liqueur au goût

## Méthode

- Monter les blancs d'oeufs en neige ferme avec un peu de sucre.
- Faire mousser les jaunes d'oeufs avec le reste du sucre, la vanille et le zeste de citron.
- Incorporer très délicatement les blancs aux jaunes d'oeufs.
- Couvrir le fond d'un plat ovale d'une couche de gâteau d'environ 1 cm (1/2 po) d'épaisseur.
- À l'aide d'un pinceau à pâtisserie, imbiber la surface du gâteau de Grand Marnier.
- Former un dôme de crème glacée et de salade de fruits sur le fond de gâteau.
- Recouvrir de bandes de gâteau.
- A l'aide d'une poche munie d'une douille cannelée, couvrir le tout avec le mélange aux oeufs.
- Décorer de fruits confits, si désiré.
- Passer rapidement au four à 230 °C (450 °F) pour colorer la surface.
- Poudrer de sucre à glacer.
- Servir immédiatement.

* Utiliser une recette appréciée de gâteau ou de génoise, ou encore acheter un gâteau non décoré.

**Mes conseils**

- Porter une attention particulière à la cuisson; celle-ci doit être très rapide.
- L'appareil aux oeufs doit être très ferme.

*Rendement: 8 à 10 portions.*

---

# Les petits cousins: les oeufs brouillés

# Les petits cousins: les oeufs brouillés

Oeufs brouillés à la banane
Oeufs brouillés à la courgette
Oeufs brouillés à la hongroise
Oeufs brouillés à l'amandine
Oeufs brouillés à la niçoise
Oeufs brouillés à la romaine
Oeufs brouillés à la saucisse
Oeufs brouillés à la tomate
Oeufs brouillés Alfredo
Oeufs brouillés Argenteuil
Oeufs brouillés Arolla
Oeufs brouillés au beurre noisette
Oeufs brouillés au parmesan
Oeufs brouillés aux dés de bacon
Oeufs brouillés aux fines herbes
Oeufs brouillés aux trois couleurs
Oeufs brouillés Cléo
Oeufs brouillés des prairies
Oeufs brouillés du dimanche
Oeufs brouillés grand-père
Oeufs brouillés nature
Oeufs brouillés Oberland
Oeufs brouillés Régent
Oeufs brouillés Viking
Oeufs brouillés week-end

# Oeufs brouillés à la banane

**2 à 3 oeufs**
**1 à 2 c. à soupe (1 à 2 c. à table) de lait**
**1 à 2 c. à soupe (1 à 2 c. à table) de beurre**
**1/2 oignon moyen haché**
**1 c. à café (1 c. à thé) de persil haché**
**Environ 1/2 banane en purée**
**Muscade au goût**
**1 pincée de sel**
**2 tranches de pain grillées (facultatif)**

**Méthode**

- Battre les oeufs avec le lait, le persil, la muscade, le sel et la purée de banane.
- Faire dorer l'oignon dans le beurre.
- Verser le mélange aux oeufs sur l'oignon.
- Cuire à feu doux en remuant sans arrêt, jusqu'à l'obtention d'une texture assez ferme.
- Servir sur une tranche de pain grillée, si désiré.

**Mes conseils**

- Excellent pour le brunch.

*Rendement: 2 portions.*

# Oeufs brouillés à la courgette

4 oeufs légèrement battus
2 tranches de bacon en dés
2 à 3 branches de persil frais hachées
1/2 à 1 petite courgette râpée
3 à 4 c. à café (3 à 4 c. à thé) d'oignon haché
1 pincée de basilic
1 pincée d'origan
2 à 3 c. à soupe (2 à 3 c. à table) de crème double (à 35 p. 100)
Sel et poivre au goût

## Méthode

- Mélanger ensemble les oeufs, le persil, la crème et la cour-
gette râpée.
- Poudrer de basilic et d'origan.
- Assaisonner.
- Faire chauffer la poêle.
- Ajouter le bacon et le faire revenir légèrement avec l'oignon.
- Y verser le mélange d'oeufs.
- Brasser sans cesse jusqu'à ce que les oeufs soient consis-
tants.
- Servir immédiatement.

## Mes conseils

- On peut accompagner les oeufs brouillés à la courgette de
sauce tomate ou de coulis de tomates (recette p. 22).
- Poudrer de parmesan râpé pour une excellente variante.

*Rendement: 2 portions.*

# Oeufs brouillés à la hongroise

**8 oeufs**
**1/2 oignon moyen émincé**
**1 poivron en dés**
**1 à 2 tomates en conserve, pelées et hachées**
**4 à 5 c. à soupe (4 à 5 c. à table) d'huile d'olive**
**ou**
**2 à 4 c. à soupe (2 à 4 c. à table) de beurre**
**Sel et poivre au goût**

**Méthode**

- Faire chauffer le beurre ou l'huile dans une poêle.
- Y faire suer l'oignon émincé jusqu'à ce qu'il devienne transparent.
- Ajouter le poivron et, 4 à 5 minutes plus tard, les tomates hachées.
- Assaisonner et laisser cuire pendant quelques minutes jusqu'à ce que les légumes soient presque réduits en pulpe.
- Battre rapidement les oeufs et les verser sur les légumes; remuer constamment jusqu'à l'obtention d'une texture crémeuse.
- Servir.

**Mes conseils**

- On peut cuire ce plat au four en remuant les oeufs de temps à autre durant la cuisson.

*Rendement: 4 portions.*

# Oeufs brouillés à l'amandine

**4 oeufs**
**2 c. à soupe (2 c. à table) d'amandes effilées**
**1 à 2 c. à soupe (1 à 2 c. à table) de beurre**
**2 c. à soupe (2 c. à table) de crème double (à 35 p. 100)**
**1 pincée de thym**
**Sel et poivre au goût**

## Méthode

- Faire fondre doucement le beurre dans une poêle.
- Ajouter les amandes. Poudrer de thym.
- Verser les oeufs battus et assaisonnés sur cette préparation.
- Remuer sans cesse avec une cuillère de bois sur un feu doux jusqu'à ce que les oeufs prennent (coagulation).
- Ajouter la crème. Brasser.
- Servir immédiatement.

## Mes conseils

- On pourrait, au moment de servir, garnir les oeufs brouillés de poudre d'amande.

*Rendement: 2 portions.*

# Oeufs brouillés à la niçoise

**8 oeufs**
**1/2 gousse d'ail hachée**
**2 c. à soupe (2 c. à table) de beurre**
**1/2 aubergine moyenne pelée et coupée en dés**
**1 pincée de macis en poudre (facultatif)**
**1 à 2 c. à café (1 à 2 c. à thé) de fenouil frais haché**
**Sel et poivre au goût**

## Méthode

- Faire revenir les dés d'aubergine dans le beurre.
- Ajouter l'ail, le fenouil et le macis, si désiré.
- Laisser cuire pendant quelques minutes jusqu'à ce que l'aubergine soit tendre.
- Battre les oeufs et les assaisonner.
- Les verser sur les dés d'aubergine et faire cuire à feu doux.
- Ne pas cesser de remuer jusqu'à ce que les oeufs soient crémeux.
- Servir aussitôt.

## Mes conseils

- On pourrait ajouter du persil frais haché et des olives noires coupées en petits morceaux.

*Rendement: 4 portions*

# Oeufs brouillés à la romaine

**4 oeufs**
**1 tomate pelée et hachée**
**3 à 4 c. à soupe (3 à 4 c. à table) de ricotta ou de fromage cottage**
**2 c. à café (2 c. à thé) de ciboulette**
**2 c. à soupe (2 c. à table) de beurre**
**Sel et poivre au goût**

**Méthode**
• Battre les oeufs avec tous les ingrédients, sauf la tomate et le beurre.
• Faire fondre le beurre dans une poêle.
• Y verser l'appareil aux oeufs.
• Remuer sans arrêt et bien décoller les oeufs du fond et des parois de la poêle jusqu'à l'obtention d'une texture crémeuse.
• Garnir de tomate hachée et servir.

**Mes conseils**
• Cette recette se réussit très bien au bain-marie sur le feu.

*Rendement: 2 portions.*

# Oeufs brouillés à la saucisse

4 oeufs
2 saucisses de porc
1 à 2 c. à soupe (1 à 2 c. à table) de beurre
3 à 5 branches de persil frais hachées
Sel et poivre au goût
120 ml (1/2 tasse) de coulis de tomates (recette p. 22)

## Méthode

* Battre les oeufs avec le persil.
* Assaisonner.
* Faire chauffer le beurre dans une poêle.
* Y faire cuire les saucisses coupées en petits morceaux pendant 3 à 4 minutes.
* Verser les oeufs battus sur les saucisses.
* Cuire doucement en remuant constamment et en décollant les oeufs des parois et du fond de la poêle.
* Servir chaud, lorsque les oeufs ont une texture crémeuse.
* Accompagner d'un peu de coulis de tomates.

## Mes conseils

* On peut utiliser plusieurs variétés de saucisses, si on le désire: merguez, saucisses de veau, cervelas, etc.

*Rendement: 2 portions.*

# Oeufs brouillés à la tomate

**4 oeufs**
**1 à 2 c. à café (1 à 2 c. à thé) de parmesan râpé**
**2 c. à soupe (2 c. à table) de beurre**
**2 à 4 c. à soupe (2 à 4 c. à table) de sauce tomate**
**3 à 4 branches de persil frais hachées**
**Sel et poivre au goût**

## Méthode

- Faire chauffer la sauce tomate dans une poêle.
- Battre les oeufs avec le beurre en noisettes et le persil. Assaisonner.
- Mélanger vivement à la sauce tomate.
- Remuer très rapidement sans arrêt sur un feu vif.
- Avant de servir, poudrer de parmesan.

## Mes conseils

- Décorer de quartiers de tomates.
- On pourrait remplacer la sauce tomate par du ketchup maison.

*Rendement: 2 portions.*

# Oeufs brouillés Alfredo

**4 oeufs**
**2 à 3 c. à soupe (2 à 3 c. à table) de parmesan râpé**
**2 c. à soupe (2 c. à table) de crème double (à 35 p. 100)**
**2 à 3 branches de persil frais hachées**
**1 à 3 c. à soupe (1 à 3 c. à table) de beurre**
**Sel et poivre au goût**

## Méthode

* Battre les oeufs en incorporant tous les ingrédients.
* Cuire sur le feu dans un bain-marie ou à la poêle avec un peu de beurre.
* Remuer constamment.
* Décoller les oeufs des parois et du fond du récipient avec une cuillère de bois.
* Servir chaud.

## Mes conseils

* On peut servir sur un nid de linguine.

*Rendement: 2 portions.*

# Oeufs brouillés Argenteuil

**8 oeufs**
**6 à 10 asperges moyennes, fraîches ou en conserve, cuites**
**3 à 4 c. à soupe (3 à 4 c. à table) de crème double (à 35 p. 100)**
**2 c. à soupe (2 c. à table) de beurre**
**5 à 6 branches de persil frais hachées**
**Sel et poivre au goût**

**Méthode**

* Couper les asperges en dés en réservant quelques pointes pour la décoration.
* Battre les oeufs avec la crème et le persil.
* Assaisonner.
* Faire fondre le beurre et y ajouter les asperges en dés.
* Y verser le mélange d'oeufs aussitôt que les asperges sont chaudes.
* Brasser sans interruption jusqu'à l'obtention d'une consistance crémeuse.
* Servir les oeufs brouillés garnis de pointes d'asperges.

**Mes conseils**

* On peut cuire ces oeufs brouillés au bain-marie.

*Rendement: 4 portions.*

---

# Oeufs brouillés Arolla

**8 oeufs**
**2 à 4 c. à soupe (2 à 4 c. à table) de crème double (à 35 p. 100)**
**1 pomme de terre moyenne râpée**
**2 saucisses de porc**
**4 à 6 branches de persil frais hachées**
**3 à 5 c. à soupe (3 à 5 c. à table) de fromage râpé**
**2 c. à soupe (2 c. à table) environ de beurre**
**2 à 3 pincées de paprika**
**Sel et poivre au goût**

## Méthode

- Battre les oeufs avec la crème, le persil et le fromage râpé.
- Assaisonner.
- Faire revenir dans le beurre les saucisses coupées en petits morceaux avec la pomme de terre râpée, pendant 3 à 5 minutes.
- Poudrer de paprika.
- Verser le mélange aux oeufs sur cette préparation.
- Remuer constamment à l'aide d'une cuillère de bois jusqu'à ce que les oeufs aient une consistance crémeuse.
- Servir.

## Mes conseils

- On peut utiliser une autre sorte de saucisse, au choix.
- De l'oignon émincé revenu avec la saucisse et la pomme de terre râpée rehausse la saveur de ces oeufs brouillés.

*Rendement: 4 portions.*

# Oeufs brouillés au beurre noisette

**8 oeufs**
**2 à 3 c. à soupe (2 à 3 c. à table) de beurre**
**4 à 6 branches de persil frais hachées**
**2 à 3 c. à soupe (2 à 3 c. à table) de lait**
**Sel et poivre au goût**

## Méthode

- Battre les oeufs avec le lait et le persil.
- Assaisonner.
- Faire chauffer le beurre jusqu'à ce qu'il prenne une couleur noisette.
- Y verser le mélange d'oeufs.
- Brasser sans arrêt.
- Retirer du feu dès que les oeufs atteignent une consistance crémeuse.
- Servir chaud.

## Mes conseils

- Attention de ne pas laisser brûler le beurre.

*Rendement: 4 portions.*

# Oeufs brouillés au parmesan

**4 oeufs**
**3 à 4 branches de persil frais hachées**
**2 à 3 c. à soupe (2 à 3 c. à table) de parmesan râpé**
**1 c. à soupe (1 c. à table) de crème double (à 35 p. 100)**
**1 à 2 c. à soupe (1 à 2 c. à table) de beurre**
**Sel et poivre au goût**

## Méthode

- Couvrir le fond et les parois d'une poêle avec une partie du beurre.
- Couper le reste du beurre en petits morceaux.
- Battre les oeufs avec tous les autres ingrédients.
- Placer la poêle à l'intérieur d'un récipient plus grand rempli d'eau chaude.
- Cuire à feu doux en remuant constamment.
- Bien racler le fond et les parois de la poêle.
- Servir les oeufs lorsqu'ils sont crémeux et onctueux.

## Mes conseils

- La poêle doit être recouverte d'eau jusqu'aux deux tiers de sa hauteur.
- Garnir les oeufs brouillés de croûtons, si désiré.

*Rendement: 2 portions.*

---

# Oeufs brouillés aux dés de bacon

**8 oeufs**
**3 à 4 tranches de bacon en dés**
**4 à 6 branches de persil frais hachées**
**3 c. à soupe (3 c. à table) de crème double (à 35 p. 100)**
**Sel et poivre au goût**

## Méthode

- Battre les oeufs avec la crème et le persil.
- Assaisonner.
- Faire revenir le bacon dans la poêle pendant 2 à 3 minutes à feu moyen.
- Y verser les oeufs et remuer constamment en décollant les oeufs du fond et des parois de la poêle.
- Cuire jusqu'à ce que les oeufs deviennent légèrement consistants en demeurant crémeux.
- Servir immédiatement.

## Mes conseils

- On peut faire revenir de l'oignon émincé ainsi que de la ciboulette avec le bacon.

*Rendement: 4 portions.*

# Oeufs brouillés aux fines herbes

**8 oeufs**
**3 à 4 c. à soupe (3 à 4 c. à table) de crème double (à 35 p. 100)**
**2 à 3 pincées de fines herbes au choix**
**4 à 5 branches de persil frais hachées**
**2 à 4 c. à soupe (2 à 4 c. à table) de beurre**
**Sel et poivre au goût**

## Méthode

- Battre ensemble les oeufs, les fines herbes, le sel et le poivre.
- Faire fondre doucement le beurre dans la poêle.
- Y verser le mélange d'oeufs.
- Remuer sans interruption et décoller les oeufs des parois et du fond de la poêle avec une cuillère de bois.
- Cuire à feu très doux jusqu'à ce que les oeufs prennent (coagulation).
- Ajouter un peu de crème vers la fin de la cuisson et bien remuer.
- Garnir de persil haché et servir.

## Mes conseils

- Comme fines herbes, on peut choisir le thym, le romarin, la sariette ou la marjolaine, entre autres.

*Rendement: 4 portions.*

# Oeufs brouillés aux trois couleurs

**8 oeufs**
**500 ml (2 tasses) d'épinards**
**1 à 2 carottes moyennes**
**120 ml (1/2 tasse) de navet**
**3 à 4 c. à soupe (3 à 4 c. à table) de crème double (à 35 p. 100)**
**2 à 3 c. à soupe (2 à 3 c. à table) de beurre**
**1 à 2 pincées de muscade**
**Sel et poivre au goût**

**Méthode**

- Faire cuire les légumes séparément dans de l'eau bouillante ou à la marguerite et les réduire en purée, toujours séparément, à l'aide du mélangeur ou du robot culinaire.
- Battre les oeufs avec la crème et la muscade.
- Assaisonner.
- Faire fondre le beurre dans la poêle à feu très doux.
- Y verser les oeufs et remuer constamment.
- Durant la cuisson, incorporer les purées de légumes, une à la fois, tout en remuant.
- Retirer du feu dès que les oeufs atteignent une consistance crémeuse.
- Servir.

**Mes conseils**

- On peut incorporer de la crème dans les purées de légumes si on le désire.

*Rendement: 4 portions.*

# Oeufs brouillés Cléo

**4 oeufs**
**250 ml (1 tasse) d'épinards hachés**
**250 ml (1 tasse) de bacon en dés**
**1/2 poivron moyen en dés**
**2 c. à soupe (2 c. à table) de chapelure**
**1 c. à soupe (1 c. à table) de beurre**
**Sel et poivre au goût**

## Méthode

- Battre les oeufs avec le beurre coupé en petits morceaux. Assaisonner.
- Dans une poêle, faire revenir le bacon pendant 2 à 3 minutes.
- Ajouter les épinards hachés et le poivron.
- Poudrer de chapelure et laisser cuire pendant 2 à 3 minutes.
- Verser le mélange d'oeufs sur cette préparation.
- Cuire à feu moyen en remuant sans arrêt jusqu'à l'obtention d'une texture crémeuse.
- Servir chaud.

## Mes conseils

- On peut, si on ne sert pas tout de suite les oeufs brouillés, les réserver dans un bain-marie.

*Rendement: 2 portions.*

# Oeufs brouillés des prairies

**4 oeufs**
**2 à 3 c. à café (2 à 3 c. à thé) de raisins Sultana**
**1 à 2 c. à café (1 à 2 c. à thé) de céleri haché**
**1 c. à soupe (1 c. à table) de poivron haché**
**2 à 3 c. à soupe (2 à 3 c. à table) de beurre**
**2 à 3 c. à soupe (2 à 3 c. à table) de crème double (à 35 p. 100)**
**3 c. à soupe (3 c. à table) de riz sauvage**
**Sel et poivre au goût**

**Méthode**

- Cuire le riz à l'eau jusqu'à ce qu'il soit tendre et ait absorbé tout le liquide.
- Faire revenir le céleri dans le beurre avec le poivron, à feu modéré.
- Battre les oeufs avec la crème.
- Incorporer le riz sauvage et les raisins.
- Assaisonner.
- Verser ce mélange sur les légumes.
- Cuire pendant environ 5 minutes en remuant toujours.
- Servir aussitôt que les oeufs sont consistants mais encore moelleux.

**Mes conseils**

- S'assurer que les grains de riz soient éclatés légèrement.

*Rendement: 2 portions.*

# Oeufs brouillés du dimanche

8 jaunes d'oeufs battus
8 blancs d'oeufs montés en neige
2 à 3 c. à soupe (2 à 3 c. à table) de beurre
3 c. à soupe (3 c. à table) de crème double (à 35 p. 100)
3 à 4 c. à soupe (3 à 4 c. à table) de jus de tomates
6 à 10 champignons émincés
120 ml (1/2 tasse) de jambon cuit, en julienne
1 à 2 pincées de muscade
3 à 4 c. à soupe (3 à 4 c. à table) de croûtons
Sel et poivre au goût

## Méthode

- Mélanger ensemble la crème et les jaunes d'oeufs.
- Poudrer de muscade et assaisonner.
- Incorporer doucement les blancs en neige à l'aide d'une spatule et réserver.
- Faire fondre un peu de beurre dans une poêle.
- Ajouter le jambon et les champignons.
- Verser le jus de tomates sur ces derniers, puis laisser réduire jusqu'à épaississement, pendant 3 à 4 minutes à feu moyen.
- Ajouter le reste du beurre.
- Y verser le mélange aux oeufs.
- Remuer constamment jusqu'à ce que les oeufs prennent. Ajouter les croûtons à la dernière minute.
- Servir.

## Mes conseils

- On pourrait, avant la fin de la cuisson, ajouter du fromage râpé et passer l'omelette au four à «broil» très rapidement.

*Rendement: 4 portions.*

# Oeufs brouillés grand-père

8 oeufs
3 à 6 c. à soupe (3 à 6 c. à table) de croûtons
2 à 3 pincées de fines herbes
2 à 3 c. à soupe (2 à 3 c. à table) de beurre
4 à 5 branches de persil frais hachées
Sel et poivre au goût

## Méthode

- Mélanger ensemble les oeufs, les fines herbes, le persil et la moitié du beurre. Assaisonner.
- Beurrer le fond et les parois d'une poêle.
- Verser le mélange aux oeufs dans la poêle.
- Faire chauffer progressivement en remuant constamment.
- Cuire doucement. Ajouter les croûtons vers la fin de la cuisson.
- Retirer du feu dès que les oeufs atteignent une consistance crémeuse.
- Servir.

## Mes conseils

- Ne pas ajouter les croûtons trop tôt pour qu'ils restent croustillants.

*Rendement: 4 portions.*

# Oeufs brouillés nature

**8 oeufs**
**2 à 3 c. à soupe (2 à 3 c. à table) de beurre**
**Sel et poivre au goût**

## Méthode

- Beurrer les parois et le fond d'une poêle.
- Battre les oeufs et les assaisonner.
- Ajouter des petits morceaux de beurre.
- Verser le mélange dans la poêle.
- Placer la poêle dans un bain-marie fait d'une casserole remplie d'eau chaude pouvant recevoir la poêle.
- Chauffer à feu moyen.
- Remuer la préparation et bien décoller les oeufs des parois et du fond de la poêle avec une cuillère en bois jusqu'à l'obtention d'une consistance crémeuse.
- Servir sur des assiettes chaudes.

## Mes conseils

- Durant la cuisson, la poêle doit être dans l'eau jusqu'aux deux tiers de sa hauteur.
- On peut ajouter un peu de crème double (à 35 p. 100) ou de lait si on le désire.
- Les oeufs brouillés ne doivent être ni collants ni fermes, mais moelleux.
- On peut arrêter la cuisson en ajoutant de la crème lorsque les oeufs sont un peu fermes.
- Une excellente manière de cuire les oeufs brouillés sur le feu: le bain-marie.

*Rendement: 4 portions.*

# Oeufs brouillés Oberland

4 oeufs battus
3 à 4 c. à soupe (3 à 4 c. à table) de fromage râpé, au choix
3 à 4 branches de persil frais hachées
2 à 3 c. à soupe (2 à 3 c. à table) de beurre
1 c. à café (1 c. à thé) de ciboulette hachée
1 à 2 c. à soupe (1 à 2 c. à table) de vin blanc
1 pincée de muscade
Sel et poivre au goût
2 tranches de pain grillées

## Méthode

- Faire fondre le beurre dans une poêle.
- Ajouter le persil, la ciboulette, le vin et le fromage.
- Poudrer de muscade et remuer jusqu'à ce que le fromage soit fondu.
- Verser les oeufs battus et assaisonnés sur cette préparation.
- Brasser constamment.
- Cuire à feu doux jusqu'à l'obtention d'une consistance assez ferme.
- Servir avec des tranches de pain grillées taillées en «doigts» ou en languettes.

## Mes conseils

- Utiliser un fromage au goût prononcé tel un vieux cheddar, un bon gruyère, etc.

*Rendement: 2 portions.*

# Oeufs brouillés Régent

**4 oeufs**
**6 à 8 pointes d'asperges moyennes, blanches ou vertes**
**120 ml (1/2 tasse) de jambon cuit, en dés**
**8 à 10 champignons émincés**
**2 à 3 c. à soupe (2 à 3 c. à table) de beurre**
**Sel et poivre au goût**

## Méthode

• Battre les oeufs. Assaisonner.
• Chauffer le beurre dans la poêle.
• Y faire revenir légèrement les asperges, le jambon et les champignons pendant 1 à 2 minutes.
• Verser le mélange d'oeufs sur cette préparation.
• Cuire doucement, remuer constamment et décoller les oeufs des parois et du fond de la poêle avec une cuillère de bois.
• Servir lorsque les oeufs ont atteint une consistance crémeuse.

## Mes conseils

• On peut utiliser des asperges entières, coupées en tronçons.
• On peut poudrer de parmesan avant le service.

*Rendement: 2 portions.*

# Oeufs brouillés Viking

**4 oeufs**
**2 c. à soupe (2 c. à table) d'oignon haché**
**1 c. à café (1 c. à thé) de câpres**
**4 c. à soupe (4 c. à table) de saumon fumé en lamelles**
**3 à 4 branches de persil frais hachées**
**2 c. à soupe (2 c. à table) de crème double (à 35 p. 100)**
**1 à 2 c. à soupe (1 à 2 c. à table) de beurre**
**Sel et poivre au goût**

## Méthode

- Battre les oeufs avec les câpres, la crème, le saumon et le persil.
- Assaisonner.
- Faire fondre le beurre dans la poêle.
- Ajouter l'oignon et le faire suer pendant 1 à 2 minutes.
- Verser le mélange aux oeufs sur l'oignon.
- Remuer constamment.
- Décoller les oeufs des parois et du fond de la poêle.
- Cuire jusqu'à ce que les oeufs soient crémeux.
- Servir chaud.

## Mes conseils

- On peut remplacer la crème par du fromage à la crème.

*Rendement: 2 portions.*

# Oeufs brouillés week-end

**4 oeufs**
**120 ml (1/2 tasse) de jambon cuit, en dés**
**3 à 4 c. à café (3 à 4 c. à thé) de fromage râpé, au choix**
**ou**
**120 ml (1/2 tasse) environ de fromage en grains**
**2 c. à soupe (2 c. à table) de beurre**
**1/2 petit oignon haché**
**4 à 5 branches de persil frais hachées**
**1 pincée de paprika**
**Sel et poivre au goût**

## Méthode

- Battre les oeufs avec le jambon en dés et le persil.
- Assaisonner.
- Faire revenir doucement l'oignon haché dans le beurre.
- Verser le mélange aux oeufs sur l'oignon.
- Remuer constamment.
- Ajouter le fromage après 3 à 4 minutes de cuisson.
- Poudrer de paprika et faire cuire encore pendant 3 à 4 minutes en remuant toujours.
- Servir chaud.

## Mes conseils

- On peut faire revenir le jambon avec l'oignon haché, si on le désire.
- Le fromage en grains donne une texture particulière aux oeufs brouillés.

*Rendement: 2 portions.*

# Pour conclure

On ne se lasse pas des oeufs: les façons de les préparer sont nombreuses, qu'elles soient traditionnelles ou originales.

Vous avez goûté à l'omelette aux petits légumes, vous avez apprécié l'omelette valaisanne, il vous reste beaucoup à découvrir et à apprécier parmi les autres. Saisissez la première occasion!

Omelettes diverses et oeufs brouillés feront de vos repas des délices sans cesse renouvelées.

# Table simple de conversion métrique

## Mesures linéaires

1 cm = 1/2 po
2,5 cm = 1 po
5 cm = 2 po
7,5 cm = 3 po
10 cm = 4 po
12,5 cm = 5 po
15 cm = 6 po
20 cm = 8 po
25 cm = 10 po
30 cm = 12 po
35 cm = 14 po
40 cm = 16 po

## Farine

30 g = 2 c. à table
60 g = 1/4 tasse + 1 c. à soupe
200 g = 1 tasse
250 g = 1 1/4 tasse
500 g = 2 1/2 tasses

## Sucre, riz

50 g = 3 c. à table
125 g = 1/4 lb = 1/2 tasse
250 g = 1/2 lb = 1 tasse
500 g = 1 lb = 2 tasses

## Liquides

10 cl = 4 oz = 1/2 tasse
20 cl = 7 oz = 7/8 tasse
50 cl = 18 oz = 2 1/4 tasses
75 cl = 26 oz = 3 1/4 tasses
1 litre = 35 oz = 4 1/2 tasses

## Beurre et graisse végétale

30 g = 2 c. à table
50 g = 1/4 tasse
75 g = 1/3 tasse
100 g = 1/2 tasse
125 g = un peu plus de 1/2 tasse
250 g = 1 tasse
500 g = 2 tasses

## Températures

| Celsius | Fahrenheit | Celsius | Fahrenheit |
|---------|-----------|---------|-----------|
| 290° | 550° | 160° | 325° |
| 270° | 525° | 150° | 300° |
| 260° | 500° | 140° | 275° |
| 240° | 475° | 120° | 250° |
| 230° | 450° | 100° | 200° |
| 220° | 425° | 80° | 170° |
| 200° | 400° | 70° | 150° |
| 190° | 375° | 60° | 140° |
| 180° | 350° | | |

## SAVIEZ-VOUS QUE...

1 c. à café = 1 c. à thé
1 c. à soupe = 1 c. à table
L'eau bout à 100°C (212°F)
250 ml = 1 tasse de 8 oz (lait ou farine)
15 ml = 1 c. à table
5 ml = 1 c. à thé
500 g = un peu plus d'une livre
1 kg = un peu plus de 2 livres

# Bibliographie

**Annick, Marie**, *Le Grand Livre de la cuisine bourguignonne*, Éditions Universitaires, 1977, 228 p.

**Bocuse, Paul**, *La Cuisine du marché*, Flammarion, Paris, 1976, 503 p.

**Escoffier, Auguste**, *Le Guide culinaire*, Flammarion, Paris, 1921, 937 p.

**Gringoire, Th. et L. Saulnier**, *Le Répertoire de la cuisine*, Dupont et Malgat-Guériny, Successeur, Paris, 1975, 240 p.

**Kaltenbach, Marianne**, *Achti Schwizer Chuchi*, Hallwag, AG, Berne, 1979, 64 p.

**Letellier, Julien**, *Menus pour recevoir*, Les Éditions de l'Homme, Montréal, 1987, 341 p.

**Montandon, Jacques**, *Les Fromages de Suisse*, Edita Lausanne, Lausanne, 1980, 169 p.

**Pauli, Eugen**, *Technologie culinaire*, Union Helvetia Lucerne, Fédération suisse des cafetiers, restaurateurs et hôteliers, Zurich, 1976, 392 p.

**Time Life**, *Les Oeufs et les fromages*, Éditions Time Life, Amsterdam, 176 p.

# Index des recettes par ordre alphabétique

# Table des matières

# Ouvrages parus chez les éditeurs du groupe Sogides

* Pour l'Amérique du Nord seulement
** Pour l'Europe seulement
Sans * pour l'Europe et l'Amérique du Nord

## ═══════ANIMAUX═══════

**Art du dressage, L'**, Chartier Gilles
**Bien nourrir son chat**, D'Orangeville Christianz
**Cheval, Le**, Leblanc Michel
**Chien dans votre vie, Le**, Swan Marguerite
**Éducation du chien de 0 à 6 mois, L'**, DeBuyser Dr Colette et Dr Dehasse Joël
**Encyclopédie des oiseaux**, Godfrey W. Earl
**Guide de l'oiseau de compagnie, Le**, Dr R. Dean Axelson
**Mammifère de mon pays,**, Duchesnay St-Denis J. et Dumais Rolland
**Mon chat, le soigner, le guérir,** D'Orangeville Christian
**Observations sur les mammifères**, Provencher Paul
**Papillons du Québec, Les,**Veilleux Christian et PrévostBernard
**Petite ferme, T.1,**
**Les animaux**, Trait Jean-Claude

**Vous et vos petits rongeurs**, Eylat Martin
**Vous et vos poissons d'aquarium**, Ganiel Sonia
**Vous et votre berger allemand**, Eylat Martin
**Vous et votre boxer**, Herriot Sylvain
**Vous et votre caniche**, Shira Sav
**Vous et votre chat de gouttière**, Gadi Sol
**Vous et votre chow-chow**, Pierre Boistel
**Vous et votre collie**, Ethier Léon
**Vous et votre doberman**, Denis Paula
**Vous et votre fox-terrier**, Eylat Martin
**Vous et votre husky**, Eylat Marti
**Vous et vos oiseaux de compagnie**, Huard-Viau Jacqueline
**Vous et votre schnauzer**, Eylat Martin
**Vous et votre setter anglais**, Eylat Martin
**Vous et votre siamois**, Eylat Odette
**Vous et votre teckel**, Boistel Pierre
**Vous et votre yorkshire**, Larochelle Sandra

## ═══════ARTISANAT/ARTS MÉNAGERS═══════

**Appareils électro-ménagers**, Prentice-Hall du Canada
**Art du pliage du papier**, Harbin Robert
**Artisanat québécois, T.1,** Simard Cyril

**Artisanat québécois, T.2,** Simard Cyril
**Artisanat québécois, T.3,** Simard Cyril
**Artisanat québécois, T.4,** Simard Cyril, Bouchard Jean-Louis

Bon Fignolage, Le, Arvisais Dolorès A.
Coffret artisanat, Simard Cyril
* Construire des cabanes d'oiseaux, Dion André
Construire sa maison en bois rustique, Mann D.
et Skinulis R.
Crochet Jacquard, Le, Thérien Brigitte
Cuir, Le, Saint-Hilaire Louis et Vogt Walter
Dentelle, T.1, La, De Seve Andrée-Anne
Dentelle, T.2, La, De Seve Andrée-Anne
Dessiner et aménager son terrain, Prentice-Hall du Canada
Encyclopédie de la maison québécoise, Lessard Michel
Encyclopédie des antiquités, Lessard Michel
Entretien et réparation de la maison, Prentice-Hall du Canada

Guide du chauffage au bois, Flager Gordon
J'apprends à dessiner, Nassh Joanna
Je décore avec des fleurs, Bassili Mimi
J'isole mieux, Eakes Jon
Mécanique de mon auto, La, Time-Life
Outils manuels, Les, Prentice Hall du Canada
Petits appareils électriques, Prentice-Hall du Canada
Piscines, Barbecues et patio
Taxidermie, La, Labrie Jean
Terre cuite, Fortier Robert
Tissage, Le, Grisé-Allard Jeanne et Galarneau Germaine
Tout sur le macramé, Harvey Virginia L.
Trucs ménagers, Godin Lucille
Vitrail, Le, Bettinger Claude

# ART CULINAIRE

À table avec soeur Angèle, Soeur Angèle
Art d'apprêter les restes, L', Lapointe Suzanne
Art de la cuisine chinoise, L', Chan Stella
Art de la table, L', Du Coffre Marguerite
Barbecue, Le, Dard Patrice
Bien manger à bon compte, Gauvin Jocelyne
Boîte à lunch, La, Lambert Lagacé Louise
Brunches & petits déjeuners en fête, Bergeron Yolande
100 recettes de pain faciles à réaliser, Saint-Pierre Angéline
Cheddar, Le, Clubb Angela
Cocktails & punchs au vin, Poister John
Cocktails de Jacques Normand, Normand Jacques
Coffret la cuisine
Confitures, Les, Godard Misette
Congélation de A à Z, La, Hood Joan
Congélation des aliments, Lapointe Suzanne
Conserves, Les, Sansregret Berthe
Cornichons, Ketchups et Marinades, Chesman Andrea
Cuisine au wok, Solomon Charmaine
Cuisine aux micro-ondes 1 et 2 portions, Marchand Marie-Paul
Cuisine chinoise, La, Gervais Lizette
* Cuisine chinoise traditionnelle, La, Chen Jean
* Cuisine créative Campbell, La, Cie Campbell
Cuisine de Pol Martin, Martin Pol
* Cuisine du monde entier avec Weight Watchers, Weight Watchers
Cuisine facile aux micro-ondes, Saint-Amour Pauline
Cuisine joyeuse de soeur Angèle, La, Soeur Angèle
Cuisine micro-ondes, La, Benoît Jehane
Cuisine santé pour les aînés, Hunter Denyse

Cuisiner avec le four à convection, Benoît Jehane
Cuisinez selon le régime Scarsdale, Corlin Judith
Cuisinier chasseur, Le, Hugueney Gérard
Entrées chaudes et froides, Dard Patrice
Faire son pain soi-même, Murray Gill Janice
Faire son vin soi-même, Beaucage André
Fine cuisine aux micro-ondes, La, Dard Patrice
Fondues & flambées de maman Lapointe, Lapointe Suzanne
Fondues, Les, Dard Partice
Menus pour recevoir, Letellier Julien
Muffins, Les, Clubb Angela
Nouvelle cuisine micro-ondes, La, Marchand Marie-Paul et Grenier Nicole
Nouvelle cuisine micro-ondes II, La, Marchand Marie-Paul et Grenier Nicole
Pâtés à toutes les sauces, Les, Lapointe Lucette
Patés et galantines, Dard Patrice
Pâtisserie, La, Bellot Maurice-Marie
Poissons et fruits de mer, Dard Patrice
Poissons et fruits de mer, Sansregret Berthe
Recettes au blender, Huot Juliette
Recettes canadiennes de Laura Secord, Canadian Home Economics Association
Recettes de gibier, Lapointe Suzanne
Recettes de maman Lapointe, Les, Lapointe Suzanne
Recettes Molson, Beaulieu Marcel
Robot culinaire, le, Martin Pol
Salades des 4 saisons et leurs vinaigrettes, Dard Patrice
Salades, sandwichs, hors d'oeuvre, Martin Pol
Soupes, potages et veloutés, Dard Patrice

2

# BIOGRAPHIES POPULAIRES

Daniel Johnson, T.1, Godin Pierre
Daniel Johnson, T.2, Godin Pierre
Daniel Johnson - Coffret, Godin Pierre
Dans la fosse aux lions, Chrétien Jean
Dans la tempête, Lachance Micheline
Duplessis, T.1 - L'ascension, Black Conrad
Duplessis, T.2 - Le pouvoir, Black Conrad
Duplessis - Coffret, Black Conrad
Dynastie des Bronfman, La, Newman Peter C.

Establishment canadien, L', Newman Peter C.
* Maître de l'orchestre, Le, Nicholson Georges
Maurice Richard, Pellerin Jean
Mulroney, Macdonald L.I.
Nouveaux Riches, Les, Newman Peter C.
Prince de l'Église, Le, Lachance Micheline
Saga des Molson, La, Woods Shirley
* Une femme au sommet - Son excellence Jeanne Sauvé,
Woods Shirley E.

# DIÉTÉTIQUE

Combler ses besoins en calcium, Hunter Denyse
Contrôlez votre poids, Ostiguy Dr Jean-Paul
Cuisine sage, Lambert-Lagacé Louise
Diète rotation, La, Katahn Dr Martin
Diététique dans la vie quotidienne, Lambert-Lagacé
Louise
Livre des vitamines, Le, Mervyn Leonard
Maigrir en santé, Hunter Denyse
Menu de santé, Lambert-Lagacé Louise
Oubliez vos allergies, et... bon appétit, Association de
l'information sur les allergies

Petite & grande cuisine végétarienne, Bédard Manon
* Plan d'attaque Weight Watchers, Le, Nidetch Jean
Plan d'attaque plus Weight Watchers, Le, Nidetch Jean
Recettes pour aider à maigrir, Ostiguy Dr Jean-Paul
* Régimes pour maigrir, Beaudoin Marie-Josée
Sage bouffe de 2 à 6 ans, La, Lambert-Lagacé Louise
Weight Watchers - cuisine rapide et savoureuse,
Weight Watchers
Weight Watchers-Agenda 85 -Français, Weight Watchers
Weight Watchers-Agenda 85 -Anglais, Weight Watchers

# DIVERS

Acheter ou vendre sa maison, Brisebois Lucille
Acheter et vendre sa maison ou son condominium,
Brisebois Lucille
Acheter une franchise, Levasseur Pierre
Bourse, La, Brown Mark
Chaînes stéréophoniques, Les, Poirier Gilles
Choix de carrières, T.1, Milot Guy
Choix de carrières, T.2, Milot Guy
Choix de carrières, T.3, Milot Guy
Comment rédiger son curriculum vitae, Brazeau Julie
Comprendre le marketing, Levasseur Pierre
Conseils aux inventeurs, Robic Raymond
Devenir exportateur, Levasseur Pierre
Dictionnaire économique et financier, Lafond Eugène
Faire son testament soi-même, Me Poirier Gérald,
Lescault Nadeau Martine (notaire)
Faites fructifier votre argent, Zimmer Henri B.
Finances, Les, Hutzler Laurie H.
Gérer ses ressources humaines, Levasseur Pierre
Gestionnaire, Le, Colwell Marian
Guide de la haute-fidélité, Le, Prin Michel
Je cherche un emploi, Brazeau Julie
Lancer son entreprise, Levasseur Pierre
Leadership, Le, Cribbin James J.

Livre de l'étiquette, Le, Du Coffre Marguerite
* Loi et vos droits, La, Marchand Me Paul-Émile
Meeting, Le, Holland Gary
Mémo, Le, Reimold Cheryl
Notre mariage (étiquette et
planification), Du Coffre, Marguerite
Patron, Le, Reimold Cheryl
Relations publiques, Les, Doin Richard, Lamarre Daniel
* Règles d'or de la vente, Kahn George N.
* Roulez sans vous faire rouler, T.3, Edmonston Philippe
Savoir vivre aujourd'hui, Fortin Jacques Marcelle
Séjour dans les auberges du Québec, Cazelais Normand et
Coulon Jacques
Stratégies de placements, Nadeau Nicole
Temps des fêtes au Québec, Le, Montpetit Raymond
Tenir maison, Gaudet-Smet Françoise
* Tout ce que vous devez savoir sur le condominium,
Dubois Robert
Univers de l'astronomie, L', Tocquet Robert
Vente, La, Hopkins Tom
Votre argent, Dubois Robert
Votre système vidéo, Boisvert Michel et Lafrance André A.
* Week-end à New York, Tavernier-Cartier Lise

3

# ENFANCE

# ÉSOTÉRISME

# HISTOIRE

# INFORMATIQUE

4

# PHOTOGRAPHIE (ÉQUIPEMENT ET TECHNIQUE)

Apprenez la photographie avec Antoine Desilets, Desilets Antoine
Chasse photographique, Coiteux Louis
8/Super 8/16, Lafrance André
Initiation à la Photographie, London Barbara
Initiation à la Photographie-Canon, London Barbara
Initiation à la Photographie-Minolta, London Barbara
Initiation à la Photographie-Nikon, London Barbara

Initiation à la Photographie-Olympus, London Barbara
Initiation à la Photographie-Pentax, London Barbara
* Je développe mes photos, Desilets Antoine
* Je prends des photos, Desilets Antoine
* Photo à la portée de tous, Desilets Antoine
Photo guide, Desilets Antoine

# PSYCHOLOGIE

Âge démasqué, L', De Ravinel Hubert
Aider mon patron à m'aider, Houde Eugène
Amour de l'exigence à la préférence, Auger Lucien
Au-delà de l'intelligence humaine, Pouliot Élise
Auto-développement, L', Garneau Jean
Bonheur au travail, Le, Houde Eugène
Bonheur possible, Le, Blondin Robert
Chimie de l'amour, La, Liebowitz Michael
Coeur à l'ouvrage, Le, Lefebvre Gérald
Coffret psychologie moderne Colère, La, Tavris Carol
Comment animer un groupe, Office Catéchèsse
Comment avoir des enfants heureux, Azerrad Jacob
Comment déborder d'énergie, Simard Jean-Paul
Comment vaincre la gêne, Catta Rene-Salvator
Communication dans le couple, La, Granger Luc
Communication et épanouissement personnel, Auger Lucien
Comprendre la névrose et aider les névrosés, Ellis Albert
Contact, Zunin Nathalie
Courage de vivre, Le, Kiev Docteur A.
Courage et discipline au travail, Houde Eugène
Dynamique des groupes, Aubry J.-M. et Saint-Arnaud Y.
Élever des enfants sans perdre la boule, Auger Lucien
Émotivité et efficacité au travail, Houde Eugène
Enfant paraît... et le couple demeure, L', Dorman Marsha et Klein Diane
Enfants de l'autre, Les, Paris Erna
Être soi-même, Corkille Briggs D.
Facteur chance, Le, Gunther Max
Fantasmes créateurs, Les, Singer Jérôme
Infidélité, L', Leigh Wendy
Intuition, L', Goldberg Philip
J'aime, Saint-Arnaud Yves
Journal intime intensif, Progoff Ira
Miracle de l'amour, Un, Kaufman Barry Neil

* Mise en forme psychologique, Corrière Richard
* Parle-moi... J'ai des choses à te dire, Salome Jacques
Penser heureux, Auger Lucien
* Personne humaine, La, Saint-Arnaud Yves
* Plaisirs du stress, Les, Hanson Dr Peter G.
* Première impression, La, Kleinke Chris, L.
Prévenir et surmonter la déprime, Auger Lucien
* Prévoir les belles années de la retraite, D. Gordon Michael
* Psychologie dans la vie quotidienne, Blank Dr Léonard
* Psychologie de l'amour romantique, Braden Docteur N.
* Qui es-tu grand-mère? Et toi grand-père? Eylat Odette
* S'affirmer et communiquer, Beaudry Madeleine
* S'aider soi-même, Auger Lucien
* S'aider soi-même d'avantage, Auger Lucien
* S'aimer pour la vie, Wanderer Dr Zev
* Savoir organiser, savoir décider, Lefebvre Gérald
* Savoir relaxer et combattre le stress, Jacobson Dr Edmund
* Se changer, Mahoney Michael
* Se comprendre soi-même par des tests, Collectif
* Se concentrer pour être heureux, Simard Jean-Paul
Se connaître soi-même, Artaud Gérard
* Se contrôler par le biofeedback, Ligonde Paultre
* Se créer par la Gestalt, Zinker Joseph
* S'entraider, Limoges Jacques
* Se guérir de la sottise, Auger Lucien
Séparation du couple, La, Weiss Robert S.
Sexualité au bureau, La, Horn Patrice
Syndrome prémenstruel, Le, Shreeve Dr Caroline
* Vaincre ses peurs, Auger Lucien
Vivre à deux: plaisir ou cauchemar, Duval Jean-Marie
* Vivre avec sa tête ou avec son coeur, Auger Lucien
Vivre c'est vendre, Chaput Jean-Marc
* Vivre jeune, Waldo Myra
* Vouloir c'est pouvoir, Hull Raymond

# JARDINAGE

**Culture des fleurs, des fruits,** Prentice-Hall du Canada
**Encyclopédie du jardinier,** Perron W.H.
**Guide complet du jardinage,** Wilson Charles
**J'aime les violettes africaines,** Davidson Robert

**Petite ferme, T. 2 - Jardin potager,** Trait Jean-Claude
**Plantes d'intérieur, Les,** Pouliot Paul
**Techniques du jardinage, Les,** Pouliot Paul
* **Terrariums, Les,** Kayatta Ken

# JEUX/DIVERTISSEMENTS

**Améliorons notre bridge,** Durand Charles
* **Bridge, Le,** Beaulieu Viviane
**Clés du scrabble, Les,** Sigal Pierre A.
**Collectionner les timbres,** Taschereau Yves
* **Dictionnaire des mots croisés, noms communs,** Lasnier Paul
* **Dictionnaire des mots croisés, noms propres,** Piquette Robert

* **Dictionnaire raisonné des mots croisés,** Charron Jacqueline
**Finales aux échecs, Les,** Santoy Claude
**Jeux de société,** Stanké Louis
* **Jouons ensemble,** Provost Pierre
**Livre des patiences, Le,** Bezanovska M. et Kitchevats P.
* **Ouverture aux échecs,** Coudari Camille
**Scrabble, Le,** Gallez Daniel
**Techniques du billard,** Morin Pierre

# LINGUISTIQUE

* **Anglais par la méthode choc, L',** Morgan Jean-Louis
* **J'apprends l'anglais,** Siiicani Gino

**Petit dictionnaire du joual,** Turenne Auguste
**Secrétaire bilingue, La,** Lebel Wilfrid

# LIVRES PRATIQUES

**Bonnes idées de maman Lapointe, Les,** Lapointe Lucette
**Chasse-taches, Le,** Cassimatis Jack
* **Maîtriser son doigté sur un clavier,** Lemire Jean-Paul

* **Se protéger contre le vol,** Kabundi Marcel et Normandeau André
**Temps c'est de l'argent, Le,** Davenport Rita

# MUSIQUE ET CINÉMA

* **Guitare, La,** Collins Peter
**Piano sans professeur, Le,** Evans Roger

**Wolfgang Amadeus Mozart raconté en 50 chefs-d'oeuvre,** Roussel Paul

# NOTRE TRADITION

**Coffret notre tradition Écoles de rang au Québec, Les,** Dorion Jacques
**Encyclopédie du Québec, T.1,** Landry Louis
**Encyclopédie du Québec, T.2,** Landry Louis
**Histoire de la chanson québécoise,** L'Herbier Benoît
**Maison traditionnelle, La,** Lessard Micheline

**Moulins à eau de la vallée du Saint-Laurent,** Adam Villeneuve
**Objets familiers de nos ancêtres,** Genet Nicole
* **Sculpture ancienne au Québec, La,** Porter John R. et Bélisle Jean
**Vive la compagnie,** Daigneault Pierre

# ROMANS/ESSAIS

**Adieu Québec**, Bruneau André
**Baie d'Hudson, La**, Newman Peter C.
**Bien-pensants, Les**, Berton Pierre
**Bousille et les justes**, Gélinas Gratien
**Coffret Joey**
**C.P.**, Susan Goldenberg
**Commettants de Caridad, Les**, Thériault Yves
**Deux Innocents en Chine Rouge**, Hébert Jacques
**Dome**, Jim Lyon
**Frères divorcés, Les**, Godin Pierre
**IBM**, Sobel Robert
**Insolences du Frère Untel, Les**, Untel Frère
**ITT**, Sobel Robert
**J'parle tout seul**, Coderre Emile

**Lamia**, Thyraud de Vosjoli P.L.
**Mensonge amoureux, Le**, Blondin Robert
**Nadia**, Aubin Benoît
**Oui**, Lévesque René
**Premiers sur la lune**, Armstrong Neil
* **Sur les ailes du temps (Air Canada)**, Smith Philip
**Telle est ma position**, Mulroney Brian
**Terrosisme québécois, Le**, Morf Gustave
* **Trois semaines dans le hall du Sénat**, Hébert Jacques
**Un doux équilibre**, King Annabelle
* **Un second souffle**, Hébert Diane
**Vrai visage de Duplessis, Le**, Laporte Pierre

# SANTÉ ET ESTHÉTIQUE

**Allergies, Les**, Delorme Dr Pierre
**Art de se maquiller, L'**, Moizé Alain
**Bien vivre sa ménopause**, Gendron Dr Lionel
**Cellulite, La**, Ostiguy Dr Jean-Paul
**Cellulite, La**, Léonard Dr Gérard J.
**Être belle pour la vie**, Meredith Bronwen
**Exercices pour les aînés**, Godfrey Dr Charles, Feldman Michael
**Face lifting par l'exercice, Le**, Runge Senta Maria
**Grandir en 100 exercises**, Berthelet Pierre
**Hystérectomie, L'**, Alix Suzanne
**Médecine esthétique, La**, Lanctot Guylaine
**Obésité et cellulite, enfin la solution**, Léonard Dr Gérard J.
**Perdre son ventre en 30 jours H-F**, Burstein Nancy et Matthews Roy
**Santé, un capital à préserver**, Peeters E.G.

**Travailler devant un écran**, Feeley Dr Helen
**Coffret 30 jours**
**30 jours pour avoir de beaux cheveux**, Davis Julie
**30 jours pour avoir de beaux ongles**, Bozic Patricia
**30 jours pour avoir de beaux seins**, Larkin Régina
**30 jours pour avoir un beau teint**, Zizmor Dr Jonathan
**30 jours pour cesser de fumer**, Holland Gary et Weiss Herman
**30 jours pour mieux organiser**, Holland Gary
**30 jours pour perdre son ventre (homme)**, Matthews Roy, Burnstein Nancy
**30 jours pour redevenir un couple amoureux**, Nida Patricia K. et Cooney Kevin
**30 jours pour un plus grand épanouissement sexuel**, Schneider Alan et Laiken Deidre
* **Vos yeux**, Chartrand Marie et Lepage-Durand Micheline

# SEXOLOGIE

**Adolescente veut savoir, L'**, Gendron Lionel
**Fais voir**, Fleischhaner H.
**Guide illustré du plaisir sexuel**, Corey Dr Robert E.
**Helg**, Bender Erich F.
**Ma sexualité de 0 à 6 ans**, Robert Jocelyne
**Ma sexualité de 6 à 9 ans**, Robert Jocelyne
**Ma sexualité de 9 à 12 ans**, Robert Jocelyne

**Plaisir partagé, Le**, Gary-Bishop Hélène
* **Première expérience sexuelle, La**, Gendron Lionel
* **Sexe au féminin, Le**, Kerr Carmen
* **Sexualité du jeune adolescent**, Gendron Lionel
* **Sexualité dynamique, La**, Lefort Dr Paul
* **Shiatsu et sensualité**, Rioux Yuki

7

**100 trucs de billard,** Morin Pierre
**Le programme pour être en forme**
**Apprenez à patiner,** Marcotte Gaston
**Arc et la chasse, L',** Guardon Greg
* **Armes de chasse, Les,** Petit Martinon Charles
* **Badminton, Le,** Corbeil Jean
* **Canadiens de 1910 à nos jours, Les,** Turowetz Allan et Goyens Chrystian
* **Carte et boussole,** Kjellstrom Bjorn
* **Chasse au petit gibier, La,** Paquet Yvon-Louis
**Chasse et gibier du Québec,** Bergeron Raymond
**Chasseurs sachez chasser,** Lapierre Lucie
* **Comment se sortir du trou au golf,** Brien Luc
* **Comment vivre dans la nature,** Rivière Bill
* **Corrigez vos défauts au golf,** Bergeron Yves
**Curling, Le,** Lukowich E.
**Devenir gardien de but au hockey,** Allair François
**Encyclopédie de la chasse au Québec,** Leiffet Bernard
**Entraînement, poids-haltères, L',** Ryan Frank
**Exercices à deux,** Gregor Carol
**Golf au féminin, Le,** Bergeron Yves
**Grand livre des sports, Le,** Le groupe Diagram
**Guide complet du judo,** Arpin Louis
* **Guide complet du self-defense,** Arpin Louis
**Guide d'achat de l'équipement de tennis,** Chevalier Richard et Gilbert Yvon
**Guide de l'alpinisme, Le,** Cappon Massimo
**Guide de survie de l'armée américaine**
**Guide des jeux scouts,** Association des scouts
**Guide du judo au sol,** Arpin Louis
**Guide du self-defense,** Arpin Louis
**Guide du trappeur, Le,** Provencher Paul
**Hatha yoga,** Piuze Suzanne
* **J'apprends à nager,** Lacoursière Réjean
* **Jogging, Le,** Chevalier Richard
**Jouez gagnant au golf,** Brien Luc
**Larry Robinson, le jeu défensif,** Robinson Larry
**Lutte olympique, La,** Sauvé Marcel
* **Manuel de pilotage,** Transport Canada

* **Marathon pour tous,** Anctil Pierre
**Maxi-performance,** Garfield Charles A. et Bennett Hal Zina
* **Médecine sportive,** Mirkin Dr Gabe
**Mon coup de patin,** Wild John
**Musculation pour tous,** Laferrière Serge
**Natation de compétition, La,** Lacoursière Réjean
**Partons en camping,** Satterfield Archie et Bauer Eddie
**Partons sac au dos,** Satterfield Archie et Bauer Eddie
**Passes au hockey,** Champleau Claude
**Pêche à la mouche, La,** Marleau Serge
**Pêche à la mouche,** Vincent Serge-J.
**Pêche au Québec, La,** Chamberland Michel
* **Planche à voile, La,** Maillefer Gérald
* **Programme XBX,** Aviation Royale du Canada
**Provencher, le dernier coureur des bois,** Provencher Paul
**Racquetball,** Corbeil Jean
**Racquetball plus,** Corbeil Jean
**Raquette, La,** Osgoode William
* **Rivières et lacs canotables,** Fédération québécoise du canot-camping
* **S'améliorer au tennis,** Chevalier Richard
**Secrets du baseball, Les,** Raymond Claude
**Ski de fond, Le,** Roy Benoît
* **Ski de randonnée, Le,** Corbeil Jean
**Soccer, Le,** Schwartz Georges
**Stratégie au hockey,** Meagher John W.
**Surhommes du sport, Les,** Desjardins Maurice
* **Taxidermie, La,** Labrie Jean
**Techniques du billard,** Morin Pierre
* **Technique du golf,** Brien Luc
**Techniques du hockey en URSS,** Dyotte Guy
* **Techniques du tennis,** Ellwanger
* **Tennis, Le,** Roch Denis
**Tous les secrets de la chasse,** Chamberland Michel
**Vivre en forêt,** Provencher Paul
**Voie du guerrier, La,** Di Villadorata
**Volley-ball, Le,** Fédération de volley-ball
**Yoga des sphères, Le,** Leclerq Bruno

**le jour,
éditeur**

9

Lune de trop, Une, Gagnon Alphonse
Manifeste de l'Infonie, Duguay Raoul
Mouvement coopératif québécois, Deschêne Gaston
Obscénité et liberté, Hébert Jacques
Philosophie du pouvoir, Blais Martin
Pourquoi le bill 60, Gérin-Lajoie P.

Stratégie et organisation, Desforges Jean et Vianney C.
Trois jours en prison, Hébert Jacques
Vers un monde coopératif, Davidovic Georges
Vivre sur la terre, St-Pierre Hélène
Voyage à Terre-Neuve, De Gébineau comte

## ENFANCE

Aidez votre enfant à choisir, Simon Dr Sydney B.
Deux caresses par jour, Minden Harold
Être mère, Bombeck Erma
Parents efficaces, Gordon Thomas

Parents gagnants, Nicholson Luree
Psychologie de l'adolescent, Pérusse-Cholette Françoise
1500 prénoms et significations, Grisé Allard J.

## ÉSOTÉRISME

* Astrologie et la sexualité, L', Justason Barbara
Astrologie et vous, L', Boucher André-Pierre
* Astrologie pratique, L', Reinicke Wolfgang
Faire se carte du ciel, Filbey John
Grand livre de la cartomancie, Le, Von Lentner G.
* Grand livre des horoscopes chinois, Le, Lau Theodora
Graphologie, La, Cobbert Anne
* Horoscope et énergie psychique, Hamaker-Zondag
Horoscope chinois, Del Sol Paula

Lu dans les cartes, Jones Marthy
* Pendule et baguette, Kirchner Georg
* Pratique du tarot, La, Thierens E.
Preuves de l'astrologie, Comiré André
Qui êtes-vous? L'astrologie répond, Tiphaine
Synastrie, La, Thornton Penny Traité d'astrologie, Hirsig
Huguette
Votre destin par les cartes, Dee Nerys

## HISTOIRE

Administration en Nouvelle-France, L', Lanctot Gustave
Histoire de Rougemont, Bédard Suzanne
Lutte pour l'information, La, Godin Pierre
Mémoires politiques, Chaloult René
Rébellion de 1837, Saint-Eustache, Globensky Maximillien

Relations des Jésuites T.2
Relations des Jésuites T.3
Relations des Jésuites T.4
Relations des Jésuites T.5

## JEUX/DIVERTISSEMENTS

Backgammon, Lesage Denis

## LINGUISTIQUE

Des mots et des phrases, T. 1,, Dagenais Gérard
Des mots et des phrases, T. 2, Dagenais Gérard

Joual de Troie, Marcel Jean

# NOTRE TRADITION

Ah mes aïeux, Hébert Jacques

Lettre à un Français qui veut émigrer au Québec, Dubuc Carl

# OUVRAGES DE RÉFÉRENCE

Petit répertoire des excuses, Le, Charbonneau Christine et Caron Nelson

Règles d'or de la vente, Les, Kahn George N.

# PSYCHOLOGIE

Adieu, Halpern Dr Howard
Adieu Tarzan, Frank Helen
Agressivité créatrice, Bach Dr George                              *
Aimer, c'est choisir d'être heureux, Kaufman Barry Neil
Aimer son prochain comme soi-même, Murphy Joseph      *
Anti-stress, L', Eylat Odette
Arrête! tu m'exaspères, Bach Dr George                          *
Art d'engager la conversation et de se faire des amis, L',
   Grabor Don
Art de convaincre, L', Ryborz Heinz
Art d'être égoïste, L', Kirschner Joseph
Au centre de soi, Gendlin Dr Eugène                               *
Auto-hypnose, L', Le Cron M. Leslie
Autre femme, L', Sevigny Hélène                                      *
Bains Flottants, Les, Hutchison Michael                          *
Bien dans sa peau grâce à la technique Alexander,        *
   Stransky Judith
Ces hommes qui ne communiquent pas, Naifeh
   S. et White S.G.
Ces vérités vont changer votre vie, Murphy Joseph         *
Chemin infaillible du succès, Le, Stone W. Clément        *
Clefs de la confiance, Les, Gibb Dr Jack
Comment aimer vivre seul, Shanon Lynn                          *
Comment devenir des parents doués, Lewis David
Comment dominer et influencer les autres, Gabriel H.W. *
Comment s'arrêter de fumer, McFarland J. Wayne
Comment vaincre la timidité en amour, Weber Éric
Contacts en or avec votre clientèle, Sapin Gold Carol
Contrôle de soi par la relaxation, Marcotte Claude
Couple homosexuel, Le, McWhirter David P. et Mattison
   Andres M.
Devenir autonome, St-Armand Yves
Dire oui à l'amour, Buscaglia Léo                                    *
Ennemis intimes, Bach Dr George                                   *
États d'esprit, Glasser Dr WilliamÊtre efficace, Hanot Marc
Être homme, Goldberg Dr Herb
Famille moderne et son avenir, La , Richar Lyn              *
Gagner le match, Gallwey Timothy
Gestalt, La, Polster Erving

Guide du succès, Le, Hopkins Tom
Harmonie, une poursuite du succès, L' Vincent Raymond
Homme au dessert, Un, Friedman Sonya
Homme en devenir, L', Houston Jean
Homme nouveau, L', Bodymind, Dychtwald Ken
Influence de la couleur, L', Wood Betty
Jouer le tout pour le tout, Frederick Carl
Maigrir sans obsession, Orback Suisie
Maîtriser la douleur, Bogin Meg
Maîtriser son destin, Kirschner Joseph
Manifester son affection, Bach Dr George
Mémoire, La, Loftus Elizabeth
Mémoire à tout âge, La, Dereskey Ladislaus
Mère et fille, Horwick Kathleen
Miracle de votre esprit, Murphy Joseph
Négocier entre vaincre et convaincre, Warschaw
   Dr Tessa
Nouvelles Relations entre hommes et femmes,
   Goldberg Herb
On n'a rien pour rien, Vincent Raymond
Oracle de votre subconscient, L, Murphy Joseph
Parapsychologie, La, Ryzl Milan
Parlez pour qu'on vous écoute, Brien Micheline
Partenaires, Bach Dr George
Pensée constructive et bon sens, Vincent Dr Raymond
Personnalité, La, Buscaglia Léo
Personne n'est parfait, Weisinger Dr H.
Pourquoi ne pleures-tu pas?, Yahraes Herbert, McKnew
   Donald H. Jr., Cytryn Leon
Pourquoi remettre à plus tard? Burka Jane B. et Yuen L. M.
Pouvoir de votre cerveau, Le, Brown Barbara
Prospérité, La, Roy Maurice
Psy-jeux, Masters Robert
Puissance de votre subconscient, La, Murphy Dr Joseph
Reconquête de soi, La, Paupst Dr James C.
Réfléchissez et devenez riche, Hill Napoléon
Réussir!, Hanot Marc
Rythmes de votre corps, Les, Weston Lee

**11**

S'aimer ou le défi des relations humaines, Buscaglia Léo*
Se vider dans la vie et au travail, Pines Ayala M.
* Secrets de la communication, Bandler Richard
Sous le masque du succès, Harvey Joan C. et Datz Cynthia *
* Succès par la pensée constructive, Le, Hill Napoléon
Technostress, Brod Craig
* Thérapies au féminin, Les, Brunel Dominique
Tout ce qu'il y a de mieux, Vincent Raymond
Triomphez de vous-même et des autres, Murphy Dr Joseph

Univers de mon subsconscient, L', Dr Ray Vincent
Vaincre la dépression par la volonté et l'action, Marcotte Claude
Vers le succès, Kassoria Dr Irène C.
Vieillir en beauté, Oberleder Muriel
Vivre avec les imperfections de l'autre, Janda  Dr Louis ▶
* Vivre c'est vendre, Chaput Jean-Marc
* Vivre heureux avec le strict nécessaire, Kirschner Josef
Votre perception extra sensorielle, Milan Dr Ryzl
Votre talon d'Achille, Bloomfield Dr. Harold

# ROMANS/ESSAIS

À la mort de mes 20 ans, Gagnon P.O.
Affrontement, L', Lamoureux Henri
Bois brûlé, Roux Jean-Louis
100 000e exemplaire, Le, Dufresne Jacques
C't'a ton tour Laura Cadieux, Tremblay Michel
Cité dans l'oeuf, La, Tremblay Michel
Coeur de la baleine bleue, Le Poulin Jacques
Coffret petit jour, Martucci Abbé Jean
Colin-Maillard, Hémon Louis
Contes pour buveurs attardés, Tremblay Michel
Contes érotiques indiens, Schwart Herbert
Crise d'octobre, Pelletier Gérard
Cyrille Vaillancourt, Lamarche Jacques
Desjardins Al., Homme au service, Lamarche Jacques
De Z à A, Losique Serge
Deux Millième étage, Le, CarrierRoch
D'Iberville, Pellerin Jean
Dragon d'eau, Le, Holland R.F.
Équilibre instable, L', Deniset Louis
Éternellement vôtre, Péloquin Claude
Femme d'aujourd'hui, La, Landsberg Michele
Femme de demain, Keeton Kathy
Femmes et politique, Cohen Yolande
Filles de joie et filles du roi, Lanctot Gustave
Floralie où es-tu, Carrier Roch

Fou, Le, Châtillon Pierre
Français langue du Québec, Le, Laurin Camille
Hommes forts du Québec, Weider Ben
Il est par là le soleil, Carrier Roch
J'ai le goût de vivre, Delisle Isabelle
J'avais oublié que l'amour, Doré-Joyal Yves
Jean-Paul ou les hasards de la vie, Bellier Marcel
Johnny Bungalow, Villeneuve Paul
Jolis Deuils, Carrier Roch
Lettres d'amour, Champagne Maurice
Louis Riel patriote, Bowsfield Hartwell
Louis Riel un homme à pendre, Osier E.B.
Ma chienne de vie, Labrosse Jean-Guy
Marche du bonheur, La, Gilbert Normand
Mémoires d'un Esquimau, Metayer Maurice
Mon cheval pour un royaume, Poulin J.
Neige et le feu, La, Baillargeon Pierre
N'Tsuk, Thériault Yves
Opération Orchidée, Villon Christiane
Orphelin esclave de notre monde, Labrosse Jean
Oslovik fait la bombe, Oslovik
Parlez-moi d'humour, Hudon Normand
Scandale est nécessaire, Le, Baillargeon Pierre
Vivre en amour, Delisle Lapierre

# SANTÉ

Alcool et la nutrition, L', Brunet Jean-Marc
Bruit et la santé, Le, Brunet Jean-Marc
Chaleur peut vous guérir, La, Brunet Jean-Marc
Échec au vieillissement prématuré, Blais J.
Greffe des cheveux vivants, Guy Dr
Guérir votre foie, Jean-Marc Brunet
Information santé, Brunet Jean-Marc
Magie en médecine, Sylva Raymond
Maigrir naturellement, Lauzon Jean-Luc

Mort lente par le sucre, Duruisseau Jean-Paul
40 ans, âge d'or, Taylor Eric
Recettes naturistes pour arthritiques et rhumatisants, Cuillerier Luc
Santé de l'arthritique et du rhumatisant, Labelle Yvan
* Tao de longue vie, Le, Soo Chee
Vaincre l'insomnie, Filion Michel,Boisvert Jean-Marie, Melanson Danielle
Vos aliments sont empoisonnés, Leduc Paul

12

# SEXOLOGIE

Aimer les hommes pour toutes sortes de bonnes raisons, *
   Nir Dr Yehuda    *
Apprentissage sexuel au féminin, L', Kassoria Irene
Comment faire l'amour à la même personne pour le   *
   reste de votre vie, O'Connor Dagmar
Comment faire l'amour à un homme, Penney Alexandra
Comment faire l'amour ensemble, Penney Alexandra
Dépression nerveuse et le corps, La, Lowen Dr Alexander
Drogues, Les, Boutot Bruno

Femme célibataire et la sexualité, La, Robert M.
Jeux de nuit, Bruchez Chantal
Magie du sexe, La, Penney Alexandra
Massage en profondeur, Le, Bélair Michel
Massage pour tous, Le, Morand Gilles
Première fois, La, L'Heureux Christine
Rapport sur l'amour et la sexualité, Brecher Edward
Sexualité expliquée aux adolescents, La, Boudreau Yves
Sexualité expliquée aux enfants, La, Cholette Pérusse F.

# SPORTS

Baseball-Montréal, Leblanc Bertrand
Chasse au Québec, Deyglun Serge
Chasse et gibier du Québec, Guardon Greg
Exercice physique pour tous, Bohemier Guy
Grande forme, Baer Brigitte
Guide des pistes cyclables, Guy Côté
Guide des rivières du Québec, Fédération canot-kayac
Lecture des cartes, Godin Serge
Offensive rouge, L', Boulonne Gérard

Pêche et coopération au Québec, Larocque Paul
Pêche sportive au Québec, Deyglun Serge
Raquette, La, Lortie Gérard
Santé par le yoga, Piuze Suzanne
Saumon, Le, Dubé Jean-Paul
Ski nordique de randonnée, Brady Michael
Technique canadienne de ski, O'Connor Lorne
Truite et la pêche à la mouche, La, Ruel Jeannot
Voile, un jeu d'enfants, La, Brunet Mario

# ROMANS/ESSAIS/THÉATRE

Andersen Marguerite,
   De mémoire de femme
Aquin Hubert,
   Blocs erratiques
Archambault Gilles,
   La fleur aux dents
   Les pins parasols
   Plaisirs de la mélancolie
Atwood Margaret,
   Les danseuses et autres nouvelles
   La femme comestible
   Marquée au corps
Audet Noël,
   Ah, L'amour l'amour

Baillie Robert,
   La couvade
   Des filles de beauté
Barcelo François,
   Agénor, Agénor, Agénor et
   Agénor
Beaudin Beaupré Aline,
   L'aventure de Blanche Morti
Beaudry Marguerite,
   Tout un été l'hiver
Beaulieu Germaine,
   Sortie d'elle(s) mutante

13

**14**

Marchessault Jovette,
La mère des herbes
Marcotte Gilles,
La littérature et le reste
Marteau Robert,
Entre temps
Martel Émile,
Les gants jetés
Martel Pierre,
Y'a pas de métro à Gélude-
La-Roche
Monette Madeleine,
Le double suspect
Petites violences
Monfils Nadine,
Laura Colombe, contes
La velue
Ouellette Fernand,
La mort vive
Tu regardais intensément Geneviève
Paquin Carole,
Une esclave bien payée
Paré Paul,
L'improbable autopsie
Pavel Thomas,
Le miroir persan
Poupart Jean-Marie,
Bourru mouillé
Robert Suzanne,
Les trois soeurs de personneVulpera
Robertson Heat,
Beauté tragique

Ross Rolande,
Le long des paupières brunes
Roy Gabrielle,
Fragiles lumières de la terre
Saint-Georges Gérard,
1, place du Québec Paris VIe
Sansfaçon Jean-Robert,
Loft Story
Saurel Pierre,
IXE-13
Savoie Roger,
Le philosophe chat
Svirsky Grigori,
Tragédie polaire, nouvelles
Szucsany Désirée,
La passe
Thériault Yves,
Aaron
Agaguk
Le dompteur d'ours
La fille laide
Les vendeurs du temple
Turgeon Pierre,
Faire sa mort comme faire l'amour
La première personne
Prochainement sur cet écran
Un, deux, trois
Trudel Sylvain,
Le souffle de l'Harmattan
Vigneault Réjean,
Baby-boomers

# COLLECTIFS DE NOUVELLES

Fuites et poursuites
Dix contes et nouvelles fantastiques
Dix nouvelles humoristiques

Dix nouvelles de science-fiction québécoise
Aimer
Crever l'écran

# LIVRES DE POCHES 10/10

Aquin Hubert,
Blocs erratiques
Brouillet Chrystine,
Chère voisine
Dubé Marcel,
Un simple soldat
Gélinas Gratien,
Bousille et les justes
Ti-Coq
Harvey Jean-Charles,
Les demi-civilisés

Laberge Albert,
La scouine
Thériault Yves,
Aaron
Agaguk
Cul-de-sac
La fille laide
Le dernier havre
Le temps du carcajou
Tayaout

15

Achevé    Imprimerie
d'imprimer  Gagné Ltée
au Canada  Louiseville